Saggi

4

Irving Lavin

Bernini
e l'immagine del principe
cristiano ideale

Appendice documentaria
a cura di Giorgia Mancini

FRANCO COSIMO PANINI

Titolo originale: *Bernini's Image of the Ideal Christian Monarch*
Traduzione di Gianfranco Malafarina (I. Il busto di Francesco I d'Este di Bernini. «Impresa
    quasi impossibile»), Silvia Battelli e Michelina Borsari (II. Bernini e l'immagine del principe
    cristiano ideale).

© 1998 Franco Cosimo Panini editore spa
viale Corassori 24, Modena

ISBN 88-7686-976-X

Indice

a Franco Cosimo Panini
Artium Litterarumque Humanarum Amicus

Bernini
e l'immagine del principe
cristiano ideale

Tengo a ringraziare vivamente Gianfranco Malafarina per l'attenzione particolare con cui ha curato la traduzione di questi saggi, e Giorgia Mancini per il suo contributo documentario e per avere amichevolmente riveduto il testo italiano.

Prologo
Modena, una capitale nel cuore d'Europa.
Francesco I d'Este, Bernini, Luigi XIV

In occasione del quarto centenario della designazione di Modena a nuova sede del ducato estense, ho avuto l'onore di essere invitato a far parte del Comitato scientifico per le celebrazioni di «Modena Capitale». L'invito giungeva particolarmente gradito in quanto veniva a colmare un affetto per la città concepito fin dalla mia prima visita da studente, nell'immediato dopoguerra. Come molti americani della mia generazione in visita in Europa, che non avevano vissuto in prima persona le vicende della guerra, non dimenticherò mai l'emozione provata nel vedere una città antichissima versare in condizioni disastrose, e nello stesso tempo ergersi al centro della città, miracolosamente intatto, un edificio come il Duomo, mirabilmente originale e carico di gloria. Un edificio arditissimo per la sua epoca, e che tanto aveva contribuito alla nascita di una nuova civiltà che sognava il regno della pace e dell'amore.

Anni dopo, da studioso accademico, ho fatto ritorno più volte a Modena per effettuare ricerche negli archivi e nelle biblioteche locali, approfondendo temi riguardanti la città nel periodo del ducato; ricerche che tra l'altro sono indirettamente alla base della nomina al Comitato. Quegli stessi studi mi hanno indotto a formulare alcune ipotesi storiche che ritengo pertinenti al concetto di Modena capitale nel cuore d'Europa, e a cui vorrei accennare brevemente in questa sede.

Il punto di partenza di questo mio concetto di Modena capitale muove dal ricordo di quanto era accaduto a Bernini durante il suo famoso viaggio a Parigi dell'estate del 1665, viaggio che segnò una svolta cruciale nella storia culturale del vecchio continente. Per solito, in questa svolta vengono ravvisati l'incipiente rifiuto dell'esuberante barocco italiano e l'avvio della grande tradizione «classique» che verrà poi identificata *par excellence* proprio con la cultura francese. Per quanto in tale atteggiamento sia racchiusa una profonda verità, chi scrive scorge in quel momento storico anche un altro elemento di rilievo, di segno opposto ma di uguale portata, per comprendere il quale, però, bisogna tener conto della situazione storiografica precedente. In passato, infatti, Francesco I d'Este è sempre stato considerato, e a volte lo è tuttora, come il piccolo principe, paffuto e pretenzioso, di uno staterello altrettanto piccolo e impotente, pronto a sprecare ingenti risorse in spettacoli effimeri e in grandi dimore di rappresentanza in gran parte inutili. Le pretese di questo modesto sovrano erano tali da indurlo a convincere il Bernini a realizzare il suo ritratto scolpito (magari sulla base di ritratti dipinti inviati da Modena, visto che era impensabile che il grande artista si muovesse da Roma per conoscerlo), nonché a ottenerne i consigli, insieme con quelli dei più insigni architetti romani dell'epoca, in merito ai progetti per il nuovo Palazzo Ducale cittadino e la nuova villa di campagna di Sassuolo.[1] Tutto questo negli anni '50 del XVII secolo.

Nell'estate del 1665 - dopo innumerevoli lusinghe e sollecitazioni presso il papa Alessandro VII Chigi in nome e per conto del giovane Luigi XIV, divenuto ormai il maggiore capo di stato del mondo occidentale - Bernini giungeva a Parigi. La visita, organizzata per disegnare il nuovo palazzo del Louvre, che doveva adeguarsi alla sovrana dignità del monarca francese, durò tre mesi e fu gestita come una vera e propria missione diplomatica. Il corteo dell'artista fu accolto alla frontiera e scortato a Parigi da un emissario del re, il colto e influente gentiluomo di corte Paul Fréart de Chantelou (che parlava perfettamente l'italiano), il quale rimase accanto all'artista fino al suo ritorno in patria e tenne conto ora per ora dell'accaduto in un minuzioso diario che non ha paragoni se non nei veri e propri diari di stato dell'epoca.[2] Diario da cui emerge il prestigio quasi inimmaginabile di cui godevano gli artisti italiani del tempo, e in particolare proprio Bernini.

Dal diario di Chantelou, come è ovvio, si imparano molte cose non solo in materia d'arte, ma anche sulla situazione politica del momento e gli intrighi della corte francese. Tuttavia l'elemento di maggiore spicco è forse il modo in cui Bernini, da autentico grand'uomo, non si fa scrupolo di criticare quasi tutto ciò in cui si imbatte nella capitale. In particolare, egli nutre una profonda avversione per uno dei fenomeni più vistosi della vita di corte, il teatro. Bastona infatti senza pietà la famosa *Salle des Machines* alle Tuileries e i grandi spettacoli illusionistici che richiedevano scene prospettiche smisurate e complicatissime macchine scenografiche. Tutto questo gli appare falsamente pomposo e foriero di incidenti disastrosi e di ridicoli fallimenti. Gli artisti responsabili della *Salle des Machines* e di tutti gli allestimenti teatrali di Luigi XIV si chiamavano Gaspare e Carlo Vigarani, padre e figlio, e provenivano da Modena, da dove il duca li aveva autorizzati ad allontanarsi anche a seguito delle irrecusabili insistenze del sovrano francese. E certo questo atteggiamento sdegnoso del grande Bernini verso l'opera degli artisti modenesi contribuì non poco a consolidare l'immagine quasi giullaresca che ha caratterizzato sia il duca che la corte estense.

Col passare del tempo, e a seguito di ulteriori ricerche, mi avvidi che dopo tutto non era privo di significativo il fatto che il maestro di spettacoli di Luigi XIV fosse stato importato in Francia proprio da Modena, con lo scopo evidente di mettere a profitto le sue esperienze alla corte estense dove quel genere di spettacolo che noi chiamiamo barocco, nel pieno senso del termine, aveva avuto uno sviluppo considerevole. Il fatto era non solo significativo, ma anche del massimo rilievo, visto che in seguito, a Parigi, sotto Luigi XIV, lo spettacolo e l'intero mondo della cultura vennero strumentalizzati per creare la prima macchina di propaganda politica nel senso moderno del termine. Questa idea *in fieri* di Modena ducale come nuovo modello politico-culturale venne poi man mano sviluppandosi e prese maggiore consistenza. Del resto, prima dell'arrivo dell'artista in persona, il sovrano francese aveva bandito una sorta di concorso per il nuovo Louvre, diramando progetti e chiedendo pareri ai grandi artisti romani dell'epoca - Bernini, Borromini, Pietro da Cortona, Rainaldi - esattamente come aveva fatto Francesco I a Modena quindici anni prima. L'idea stessa di creare un nuovo palazzo reale al Louvre, e poi una nuova dimora e una seconda capitale in campagna, a Versailles, ebbero i loro precedenti a Modena.

Il progetto berniniano per il Louvre non fu mai realizzato, mentre il suo ritratto del re finì per diventare la *pièce de résistance* di tutta la propaganda imperialista francese, collocato, com'è tuttora, in cima alla famosa *Escalier des Ambassadeurs* di Versailles, dove tutti gli emissari del mondo convenivano a rendere omaggio al sovrano.

Per quanto riguarda i busti basterà aggiungere poche parole. Per solito vengono sottolineati i cambiamenti apportati dal Bernini al ritratto del re rispetto a quello di Francesco I; e giustamente, perché le differenze sono notevoli. Bisogna però rendersi conto che il busto di Luigi XIV non è minimamente concepibile senza quello del duca, e questo non solo sotto il profilo strettamente artistico. Studiando le fonti di teoria e storia politica dell'epoca, mi sono reso conto che anche sotto questo aspetto scrittori di cose estensi come Giovanni Battista Pigna e Domenico Gamberti hanno avuto un ruolo determinante nello sviluppo e nella definizione di quel concetto di buon governo cristiano che Bernini incorporò nei suoi ritratti di monarchi. Anche la celebre statua equestre del re che Bernini realizzò in seguito e che fu collocata nei giardini di Versailles, ebbe il suo precedente in un progetto dello stesso Bernini per un'analoga scultura postuma di Francesco I.

A mio avviso, tuttavia, l'importanza storica di Modena capitale non si esaurisce neppure in questo. Pensandoci bene, non è facile trovare altri esempi di fondazione di una nuova capitale, e in effetti di un nuovo tipo di governo, se non nel Nuovo Mondo, all'inizio dell'epoca che gli storici amano definire il primo periodo moderno. E sono certo che studiando a fondo la situazione, altri aspetti politici e sociali di grande interesse potrebbero emergere, a Modena, nell'ambito dei rapporti tra Ducato e Comune. Ho appreso per esempio da una giovane studiosa modenese, Claudia Cremonini, come la Chiesa del Voto venisse ubicata al centro della città per esplicita volontà del popolo modenese e nonostante l'opposizione del duca. E mi ha sempre colpito, fin da quando conosco Modena, il fatto che proprio ad uno degli ingressi principali della città la via Emilia sia fiancheggiata da due enormi edifici che dovevano servire al popolo minuto da ospedale e da albergo dei poveri. Istituzioni che a quell'epoca, in altre città, venivano come rimosse e pressoché celate in periferia, mentre qui sembrano attestare l'insorgere di una nuova coscienza sociale. Tutt'altro che casuale, in questo contesto, è altresì il fatto che uno di questi edifici sia annesso proprio alla chiesa dinastica estense, Sant'Agostino, risplendente all'interno di stucchi bianchi che celebrano la storia dell'illustre casata, all'esterno austera e modestamente rivestita di mattoni come gli stessi edifici circostanti per i poveri. Una convergenza politico-sociale indubbiamente molto significativa.

So che la mia tesi può apparire ardita e controcorrente, ma non a caso un importante storico inglese, Peter Burke, in una recente monografia su Luigi XIV, a proposito dei precedenti della politica culturale del sovrano francese ha giustamente sottolineato il rapporto tra i due paesi definendolo «the Paris-Modena axis».[3] Sono convinto insomma che il motto prescelto per il centenario - «Modena, una corte nel cuore d'Europa» - abbia un senso molto meno retorico di quanto si potrebbe pensare. Città relativamente modesta, Modena, di certo poco influente sul piano internazionale, ma destinata, forse proprio in virtù delle sue alte ambizioni, a fungere da collegamento tra i poteri forti, offrendosi come un fertile laboratorio di concezioni e metodi di governo di fondamentale importanza ai fini della carta ideologica e geopolitica dell'Europa moderna.

[1] Per questi lavori, vedi sotto, p. 40.

[2] Cito sempre l'edizione originale di L. Lalande, Chantelou 1885, e la traduzione inglese di M. Corbett, con ampie note e indice di G. Bauer, Chantelou 1985.

[3] Si veda Burke 1992, p. 187 sg., e sotto, p. 40.

I. Il busto di Francesco I d'Este di Bernini. «Impresa quasi impossibile»

«Far che un marmo bianco pigli la somiglianza di una persona, che sia colore, spirito, e vita, ancorche sia lì presente, che si possa imitare in tutte le sue parti, e proportioni, è cosa difficiliss.ma. Creder poi di poter farlo somigliare con haver sol davanti una Pittura, senza vedere, ne haver mai visto il Naturale, è quasi impossibile, e chi a tale impresa si mette più temerario che valente si potrebbe chiamare.

Hanno potuto tanto però verso di me i comandamenti dell'Altezza del sig.r Card.l suo fratello, che mi hanno fatto scordar di queste verità; però se io non ho saputo far quello, che è quasi impossibile, spero V.ra Alt.za mi scusarà, e gradirà almeno quell'Amore, che forse l'Opera medesima le rappresentarà...» (fig. 1).

Gian Lorenzo Bernini a Francesco I d'Este, 20 ottobre 1651[1]

Nella primavera del 1651, con una certa riluttanza, Bernini accettò di scolpire il ritratto di Francesco I d'Este, signore di un ducato appartenente a una delle famiglie più antiche e gloriose d'Italia, ma oramai alquanto decaduta (cfr. fig. 13). Nel 1598, morto senza eredi lo zio di Francesco, la storica sede del ducato, Ferrara, era stata devoluta al papato e la capitale era stata trasferita nella piccola e provinciale città di Modena. Il busto di Bernini faceva parte dunque di un vasto e organico programma mecenatizio di altissimo livello che Francesco I aveva concepito nel tentativo di restaurare il prestigio e l'importanza del suo casato. L'effetto di somiglianza, da parte del più illustre e ambìto artista del momento, al servizio dello stesso pontefice, doveva basarsi sui ritratti dipinti da Justus Sustermans, attivo saltuariamente per il duca in qualità di pittore di corte. Non si parlò mai di una trasferta a Modena di Bernini o di un viaggio a Roma del duca, e ciò fu all'origine di un fitto scambio di corrispondenza tra il duca stesso, i suoi agenti a Roma e l'artista. Tale carteggio è conservato quasi al completo presso l'Archivio di Stato di Modena, sicché il busto di Francesco I può trovare la sua collocazione tra altri ritratti di principi laici di Bernini come il perduto busto di Carlo I d'Inghilterra e il busto e il monumento

equestre di Luigi XIV, opere tra le meglio documentate nel percorso
dell'artista. La documentazione riguardante il busto di Carlo I, infatti,
è stata indagata a fondo, mentre i ritratti del sovrano francese sono stati oggetto di studi monografici.[2] Anche il ricco filone di notizie sul
busto di Francesco I è stato scandagliato da generazioni di studiosi, ma
tali citazioni sono state riportate solo in modo frammentario e in
pubblicazioni sparse. Così, quando appresi - dopo avere ultimato il
saggio che dà il titolo al presente volume - che la giovane studiosa
modenese Giorgia Mancini stava vagliando in modo sistematico il
carteggio ducale, la invitai a predisporre, come Appendice del mio
saggio, una trascrizione completa dei documenti relativi al busto berniniano, insieme con una sintesi del loro contenuto. Molti documenti
sono inediti, compreso il notevole resoconto delle varie fasi di imbal-
laggio e spedizione della scultura, a cui Bernini prestò personalmente
particolare attenzione.[3] A questo materiale d'archivio ho aggiunto
quanto può essere ricavato da altre fonti contemporanee, come pure
altri precoci riscontri visivi della scultura (figg. 19, 33-35).

    Come preludio alla trattazione sul significato formale e ideologico
dei ritratti berniniani di sovrani, vorrei innanzi tutto sottolineare e affrontare, nella messe di notizie documentarie ormai disponibile riguardo al busto di Francesco d'Este, due aspetti che mi sembrano particolarmente rilevanti a proposito dell'effettiva realizzazione dell'opera,
uno di ordine pratico, l'altro di natura sociologica. L'aspetto pratico, in
questo caso, riguarda la particolare difficoltà, ripetutamente enfatizzata
dallo stesso Bernini, di realizzare un ritratto senza poter vedere l'effigiato. Il compito di eseguire il busto scolpito di una persona vivente
sulla base di prototipi dipinti non aveva infatti alcun precedente (ritratti postumi per tombe e monumenti erano una cosa diversa).[4] Per
quanto mi risulta, si trattava di un nuovo modo di concepire il ritratto
scolpito, un procedimento inaugurato da Bernini con il busto di Carlo
I d'Inghilterra (1635-36), seguito da quello della moglie Enrichetta
Maria (1638, mai eseguito) - entrambi basati su tre immagini degli effigiati dipinte da Van Dyck - e quello del cardinale Richelieu (1640-
41), desunto da un triplo ritratto di Philippe de Champagne; e destinato a culminare nel 1650-51 proprio con il busto di Francesco I.[5] Questo nuovo procedimento, benché impegnativo sotto l'aspetto professionale, non era tuttavia fine a se stesso, ma era subordinato a nuovi
intendimenti. È infatti altamente significativo che tre potenti capi di
stato entrassero in una vera competizione fra loro per farsi ritrarre a
distanza da un artista molto lontano, senza mai incontrarlo. Tale feno-

meno rappresenta un importante sviluppo nella storia della cultura europea poiché segnala l'emergere della figura dell'artista come «eroe culturale» moderno e internazionale, capace di sopravanzare tutti i suoi predecessori in termini di virtuosismo ideativo e abilità tecnica, fornendo nel contempo, sia nella forma che nella sostanza, un equivalente all'emergere del «monarca assoluto», il nuovo protagonista della scena politica internazionale di cui Bernini andava creando l'immagine proprio con queste opere.

In qualche misura, questo fatidico intreccio tra arte e politica dovette risultare evidente agli stessi personaggi implicati nella vicenda. A Bernini, poiché, come vedremo, egli aveva una visione ben chiara del principe cristiano ideale incarnato dai suoi ritratti; ai biografi dello scultore, Filippo Baldinucci e Domenico Bernini, figlio dell'artista, visto il tenore dei commenti riservati a tali opere («Divulgavasi in tanto sempre più la fama di questo artefice, e il nome di lui ogni dì più chiaro ne diveniva: onde non fu gran fatto che i maggiori potentati d'Europa incominciassero a gareggiare, per così dire, fra di loro per chi sue opere aver potesse»;[6] «Ma' volando sempre più grande per l'Italia la fama del Bernino, e divenendo ogni dì più chiaro il suo nome per il Mondo, trasse ancora a se i Maggiori Potentati dell'Europa, quali parve, che insieme allora gareggiassero per chi sue Opere haver potesse»);[7] e infine agli stessi nobili committenti, considerando l'assiduità con cui essi coltivarono il loro rapporto con l'artista, le enormi somme versategli e l'entusiastica accoglienza riservata ai risultati del suo lavoro. È molto importante, inoltre, rilevare come tali ritratti non furono concepiti in modo autonomo, ma in una sorta di peculiare emulazione reciproca, al punto da formare una serie strettamente interdipendente sotto il profilo sia artistico che storico. Le immagini dei potenti di Bernini incorporano un singolare paradosso storico e artistico: esse sono icone altamente personalizzate, create da un singolo individuo, di quel processo storico che portò, in Europa, alla nascita dello stato-nazione.[8]

La più eloquente testimonianza giunta fino a noi circa il ruolo significativo svolto da Bernini nella sfera politico-religiosa del tempo è forse costituita dall'osservazione sorprendente - e del tutto aliena da ogni sospetto di piaggeria - formulata da un membro della corte inglese in una lettera al Mazarino in cui si chiede il ricorso ai suoi buoni uffici a Roma per accelerare il progetto del ritratto della regina (in un momento in cui non esistevano di fatto relazioni dirette tra il papato e la corona inglese, sebbene da ambo le parti si sperasse in una conversione di re Carlo). Lord Montaigu osserva infatti come Bernini, nel proprio paese, abbia fatto molto di più, nel campo della dottrina delle immagini, di quanto non avesse mai fatto in precedenza lo stesso cardinale Bellarmino, il grande gesuita apologista della Chiesa. La venerazione riservata allo scultore era inconfutabile: «Le cavalier Bernino a plus fait pour la doctrine des images en ce pays-cy que n'a jamais [fait] le card. Bellarmin. La vénération luy est accordé sans controverse...».[9]

Il senso in cui la realizzazione di queste opere sia stata un autentico *tour de force* artistico traspare con tutta evidenza dall'elegante missiva, citata in apertura di capitolo, scritta da Bernini al duca Francesco I mentre organizzava il trasporto della scultura finita. Benché in apparenza si presenti come uno sfoggio del tutto casuale di autocompiacimento e di adulazione, la lettera è di fatto un vero e proprio trattatello in tre frasi (o per meglio dire, un lamento) sulla ritrattistica marmorea quale risultava dalla particolare concezione dello scultore. La sfida, per lui, stava tutta nella necessità di infondere all'opera la massima somiglianza mediante tre qualità peculiari – colore, spirito e vita – a ciascuna delle quali l'artista attribuiva un significato e un'importanza particolari. Ardua in ogni caso, tale sfida diventava virtualmente vana – quasi impossibile – allorché il soggetto in posa davanti allo scultore non era altro che una serie di dipinti. Il reale significato di tale concezione berniniana emerge pienamente ove si considerino le implicazioni connesse con i tre argomenti cruciali addotti dallo scultore.

Il problema di conseguire una somiglianza scultorea a partire da modelli dipinti presentava infatti un particolare rilievo, giacché affondava le proprie radici nell'ambizione, comune fin dal Rinascimento a tutti gli artisti, a individuare nella loro vocazione fondamenti teorici tali da innalzarli dall'ambito dei mestieri medioevali a quello che sarebbe stato considerato il dominio delle Belle Arti. La pittura e la scultura, così, benché opera delle mani, dovevano essere considerate allo stesso livello di altre attività intellettuali tradizionalmente più quotate come la musica e la letteratura, e in particolare la poesia.[10] Uno dei fattori chiave di tale evoluzione fu il cospicuo retaggio di rivalità professionale connesso con i meriti e le difficoltà – e di conseguenza la nobiltà – della pittura nei confronti della scultura, vale a dire quel raffronto tra le arti noto come il Paragone.

Non a caso, la più precoce testimonianza di questo dibattito nell'ambito della ritrattistica proviene da Leonardo da Vinci, cioè l'inventore stesso del Paragone inteso come disputa teorica sulle arti. Si tratta di un disegno leonardesco che mostra la stessa testa in quelle che potremmo definire le tre posizioni base: di profilo, di tre quarti e frontale (fig. 2).[11] Si è spesso ritenuto che la testa fosse quella di Cesare Borgia, protettore dell'artista, ma non abbiamo alcuna prova che Leonardo avesse allo studio un ritratto scolpito del Borgia e del resto l'assenza del busto depone a sfavore di tale ipotesi. Il disegno sembra invece dettato dal desiderio di dimostrare la possibilità di rappresentare simultaneamente in due dimensioni ciò che lo scultore illustra in fasi successive in tre dimensioni. Nella sua accezione più ampia, tuttavia, il Paragone non era soltanto una questione di forma ma anche di colore, ovvero policromia bidimensionale contro monocromia tridimensionale. Il problema richiama il più precoce esempio di triplice ritratto dipinto a noi noto: l'orefice di Lorenzo Lotto ripreso sotto tre angoli visuali riuniti in un'unica composizione (fig. 3). Non vi è alcuna prova che l'opera del Lotto fosse stata concepita in vista di un ritratto scolpito e invero la natura delle pose (con l'inclusione del profilo perduto e l'omissione della veduta frontale),[12] la varietà degli atteggiamenti, l'aggiunta di un attributo specifico come l'astuccio di anelli, tutto sembra escludere tale eventualità. È molto più probabile che tale moltiplicazione dei punti di vista, variata con cura, mirasse proprio a sfidare l'impressione di una subalternità a un'altra tecnica, fungendo, nel Paragone, da sofisticato salvacondotto a favore della pittura. Considerata a quel tempo opera di Tiziano, la tela entrò a far parte della collezione di Carlo I, dove fu vista da Van Dyck e divenne a sua volta il modello per il suo triplice ritratto del sovrano, destinato proprio a Bernini (fig. 4).[13] Con tutta evidenza, Van Dyck dovette intendere il dipinto lottesco nell'accezione del Paragone, poiché in quella circostanza fuse i tre scorci essenziali di Leonardo in un unico dipinto composto. Se le tre viste conferiscono alla figura un effetto di rotazione, le varianti introdotte nella gestualità danno un'idea di movimento e di azione, mentre il ricco registro cromatico, differente da ripresa a ripresa, denota la destinazione del dipinto a modello per una scultura in marmo. Lo sfoggio di finezza concettuale e di virtuosismo tecnico di cui Van Dyck dà prova in modo tanto discreto quanto splendido, non era soltanto finalizzato a fornire un modello per il busto marmoreo, ma ne costituiva una sorta di emulazione pittorica. Il dipinto, insomma, fu sicuramente concepito come una sfida a Bernini, e lo scultore lo intese di certo in questo senso restandone profondamente colpito.[14] In seguito, richiesto di fornire delle effigi di Enrichetta Maria che fungessero da modello a Bernini per il suo ritratto della regina, parve che all'inizio Van Dyck cominciasse a lavorare a un ritratto multiplo come quello del re, ma alla fine consegnò invece tre effigi separate, una frontale e due di profilo (figg. 5, 6, 7).[15] L'idea di realizzare una composizione coerente, simmetrica e multiforme fu dunque abbandonata a favore di una serie di immagini autosufficienti che a differenza di una scultura potessero avere una funzione autonoma e nondimeno essere guardate simultaneamente. Cambiamento che potrebbe essere stato una risposta alle stesse preferenze dello scultore, basate sul metodo scultoreo tradizionale consistente nello sbozzare il soggetto dopo averne tracciato separatamente gli scorci principali sulle singole facce di un blocco di marmo rettangolare.[16] Nel caso della regina Enrichetta, peraltro, il sottile passaggio dalla piena policromia del ritratto alla tonalità bianco pallido del torso potrebbe essere messa in relazione proprio con la tematica del Paragone.

Il busto berniniano di Carlo I fu poi a sua volta, con ogni probabilità, la diretta fonte di ispirazione per il terzo elemento di questa serie di «ritratti Paragone», quello di Richelieu (fig. 8). Il dipinto di Van Dyck fu inviato a Roma poco dopo il 17 marzo 1635 e il busto finito fu spedito da Roma nell'aprile del 1637.[17] Il progetto relativo al ritratto di Richelieu potrebbe pertanto essere stato concepito da Giulio Mazzarino (poi cardinale Mazarino), il quale fino alla sua partenza per Parigi, il 13 dicembre 1639 si trovava a Roma proprio mentre Bernini stava lavorando al busto del re sulla base del quadro di Van Dyck. Di conseguenza, il triplice ritratto di Philippe de Champaigne risulta esplicitamente legato alla citata tradizione del Paragone, nonché all'invenzione berniniana dell'immagine del governante ideale, in questo caso il potente cardinale-ministro (fig. 9).[18] Champaigne tuttavia adottò una soluzione inedita, affiancando a una veduta di tre quarti due profili ed evitando in tal modo la sensazione rotatoria in favore della statica simmetria di un'icona devozionale. La visione simultanea di vedute piatte e contrapposte attorno a un fulcro disposto obliquamente sembra alquanto singolare. Il ruolo originario di Van Dyck in questo senso fu peraltro riconosciuto da Mazarino, il quale espresse il desiderio (mai realizzato) di rimpiazzare il prototipo di Champaigne, rivelatosi insoddisfacente, con ritratti dello stesso Van Dyck da usare in vista di un'altra immagine scolpita del cardinale a figura intera.[19]

Il campo in cui Bernini avvertì più acutamente la sfida di questi ritratti fu quello del colore, il primo dei tre requisiti indicati dallo scultore. Il Paragone con l'effigie di Van Dyck, infatti, diede luogo con ogni evidenza alla celebre osservazione berniniana secondo cui il candore del marmo rendeva virtualmente impossibile ottenere con quel mezzo espressivo un convincente effetto di somiglianza. La prima testimonianza di tale dichiarazione si trova in un episodio del diario di Nicholas Stone, uno scultore britannico che visitò lo studio di Bernini a Roma e che alla data del 22 ottobre 1638 scrive:

> How can itt than possible be that a marble picture can resemble the nature
> when itt is all one colour, where to the contrary a man has on colour in his fa-
> ce, another in his haire, a third in his lipps, and his eyes yett different from all the
> rest? Tharefore sayed (the Caualier Bernine) I conclude that itt is the inpossible
> thinge in the world to make a picture in stone naturally to resemble any person.
> (Come è possibile che un'immagine di marmo, essendo tutta di un colore, pos-
> sa assomigliare alla natura quando invece un uomo ha un colore sul volto, un al-
> tro nei capelli, un terzo sulle labbra, e gli occhi differenti da tutto il resto? Quin-
> di [il cavalier Bernini] disse: in conclusione, la cosa più impossibile al mondo è
> creare un'immagine di pietra somigliante al naturale a una persona).

Le circostanze di tale dichiarazione sono di particolare rilievo, giacché Bernini sta parlando del ritratto di un visitatore proveniente dal-
l'Inghilterra, Thomas Baker, da lui realizzato dopo quello di Carlo I
«because itt should goe into England, that thay might see the differen-
ce of doing a picture after the life or a painting»[20] (perché vada in Inghilterra in modo che possano vedere la differenza tra fare un'immagine dal naturale o da un dipinto). Nel brano successivo, Stone riporta il fermo proposito di Bernini di non eseguire opere di questo genere neppure se il ritratto fosse stato di mano di Raffaello (chiaramente
in omaggio alla bellezza del dipinto di Van Dyck), proposito manife-
stato in risposta alla richiesta, avanzata dal papa in persona, di realizzare in base a un quadro un ritratto «per qualche altro principe», evidentemente Richelieu.[21] Il concetto venne poi ribadito più volte da Bernini a Chantelou e fu ripreso da Baldinucci e da Domenico Bernini,
che ne fa uso non come un'autodifesa bensì per enfatizzare la maggiore difficoltà della scultura rispetto alla pittura.[22] Visto l'assillo del
Bernini verso il problema della resa marmorea della pelle – assillo
adombrato anche nella bella lettera scritta al duca poco prima della
spedizione del ritratto e citata come epigrafe in apertura di questo capitolo – il Paragone dovette sicuramente giocare un ruolo in questa
sua concezione di una sfida che egli cercava di raccogliere con i suoi
ritratti basati su dipinti.[23] Il progetto di un ritratto di Francesco d'Este
paragonabile a quello di Richelieu potrebbe essere nato direttamente
proprio dal busto del cardinale, dal momento che l'agente modenese a
Roma fornì al duca un attonito resoconto dello spettacolare donativo
ricevuto dall'artista per i suoi sforzi.[24] E d'altra parte, anni dopo, la memoria della commissione reale era ancora un argomento di rilievo dei
commenti riguardanti il ritratto di Francesco I.[25]

Mentre è del tutto comprensibile che Bernini fosse preoccupato
dalla resa del colore nella scultura in marmo, il vero dilemma è ineren-

te al materiale usato, e il colore risulta di fatto solo una delle qualità
cui lo scultore si richiama nel definire «quasi impossibile» l'impresa affrontata con il busto di Francesco I.[26] Il problema cruciale, in questo
caso, non sta tanto nel materiale, quanto nell'esigenza di estrapolare
una verosimiglianza dai soli modelli dipinti, senza avere mai veduto «il
naturale», come dice Bernini. Del resto, dopo l'esperienza fatta con
Carlo I lo scultore aveva giurato di non cimentarsi mai più con una simile impresa.[27] Nel caso di Francesco d'Este il problema era aggravato
dal fatto che lavorando al ritratto Bernini, in realtà, aveva davanti soltanto due vedute di profilo dell'effigiato. Infatti l'invio della veduta
frontale, da lui richiesta con urgenza, subì un ritardo, e così, alla fine, lo
scultore dovette accontentarsi delle due vedute laterali e di alcune
semplici misure del duca come l'altezza e l'ampiezza delle spalle.[28]
Come è naturale, egli fu ovviamente orgoglioso di quanto aveva realizzato, e le sue affermazioni circa la difficoltà dell'impresa miravano
certamente ad accrescere l'apprezzamento del risultato. Nondimeno, il
senso di inadeguatezza, e persino di fallimento, evidente nella rimo-
stranza di Bernini è senza dubbio autentico, e invero anche patetico se
si considera che dopotutto il ritratto era quanto meno la sua specialità.
In fin dei conti, la sua capacità di creare la somiglianza era la base stessa della sua straordinaria reputazione di *enfant prodige* e aveva largamente contribuito alla fama internazionale di cui poté godere lungo
l'intera carriera.[29] L'origine del rammarico di Bernini riguardo a un
genere artistico di cui lui stesso era artefice risiedeva piuttosto negli
altri fattori richiamati nella lettera a Francesco I: lo «spirito» e la «vita».
E la sua frustrazione sotto questi aspetti era l'inevitabile corollario del-
l'intrinseca natura della ritrattistica quale risultava dalla sua stessa concezione artistica.

Illuminanti chiarificazioni riguardo a quest'ultimo punto derivano,
quasi accidentalmente, dal fatto che in origine il duca era indeciso se
commissionare il lavoro a Bernini o ad Alessandro Algardi, suo grande
rivale specialmente nel campo della ritrattistica. I documenti relativi
alle trattative forniscono peraltro una straordinaria opportunità per
confrontare e valutare in modo comparativo il *modus operandi* di questi
due giganti della scultura barocca italiana. Il cardinale Rinaldo d'Este,
fratello del duca, scrivendo da Roma il 16 luglio 1650, riferiva che «Il
Cav.re Algardi scultore si fà pagare i ritratti di marmo intendendo di
busto, ò mezza figura, centocinquanta scudi l'uno, oltre il marmo, che
segli dà, o segli paga. ne diaria uno compito per tutto il mese pross.o
d'Agosto quando dovesse farlo, e potrà cavar, e formar il luto della Pittura, e lo perfezionarà in presenza di chi dovrà sodisfarli, per farlo poi

più esattam.te in marmo. Hà due altre persone sotto di sé di condiz.e inferiore nel mestiere da' quali s'haverebbe l'opra per la metà del sud.o prezo e forse meno».[30] Con una risposta semplice e diretta, formulata come una banale trattativa d'affari, Algardi offriva un termine di consegna sicuro e un prezzo fisso di centocinquanta scudi, proponendo inoltre, a metà prezzo e anche meno, l'esecuzione dell'opera da parte di uno dei suoi assistenti. Non così Bernini, che si rifiutò di impegnarsi sui tempi e il compenso, enfatizzando per contro le notevoli difficoltà di realizzare ritratti in tali condizioni.[31] Offrire qualcosa di meno del meglio, trattando il duca d'Este come un cacciatore d'occasioni, non sarebbe stato all'altezza della dignità di entrambi. Ironicamente, nella sua replica del 22 luglio, il duca suggeriva di offrire a Bernini un «dono» di cento doppie (pari a duecento scudi), manifestando la sua «indifferenza» riguardo all'esecuzione da parte di Bernini o di Algardi.[32] Alla fine, ansioso di vedersi parificato ai principali sovrani del suo tempo, Francesco fu ben lieto di pagare a Bernini tremila scudi per ciò che avrebbe potuto ottenere da Algardi al prezzo di centocinquanta scudi più il costo del marmo! Ma va sottolineato il ruolo svolto in questo momento dall'atteggiamento di Bernini, giacché il punto cruciale, in questo caso, concerne la difficoltà insita nell'esecuzione di un ritratto solo sulla base di modelli dipinti. Difficoltà che a quanto sembra non costituiva un ostacolo insormontabile per Algardi,[33] mentre intimoriva Bernini al punto da indurlo quasi alla rinuncia.

La vera ragione per cui Bernini considerava l'impresa quasi impossibile, e non avrebbe mai potuto essere del tutto pago del risultato, non era infatti riconducibile al problema di ottenere la somiglianza nel senso normale e tradizionale del termine, ma scaturiva inevitabilmente dai princìpi fondamentali di quella che potrebbe essere definita la «psicofilosofia» berniniana della ritrattistica e dal suo stesso metodo creativo così come risulta dalle sue lettere, dalle varie dichiarazioni raccolte dai suoi biografi e soprattutto dal resoconto dettagliato del lavoro svolto sul busto di un personaggio cui poté avvicinarsi direttamente e con frequenza, Luigi XIV (fig. 14).[34]

Chantelou ricorda che l'artista ritasse il re in non meno di diciassette «sedute», cinque per disegnare il soggetto e dodici per lavorare il marmo.[35] Da questa messe di testimonianze dirette sui metodi di lavoro dell'artista – senza precedenti nella storia dell'arte – risulta evidente, in primo luogo, che la nozione di somiglianza aveva per Bernini un significato del tutto particolare.[36] L'artista non considerava affatto l'effigiato come un puro e semplice «modello», ma faceva di tutto per «estrarre» il carattere e la personalità del soggetto disegnandolo continuamente in azione – mentre si muoveva, lavorava, giocava a tennis o conversava[37] – poiché una persona non è mai compiutamente se stessa come in quei momenti.[38] Così, preferiva rappresentare il soggetto nell'atto di iniziare o terminare un discorso (con un approccio psicologico estremamente sottile ma paradossale, perché concentrato sulla fase eminentemente inconscia di quello che resta l'atto retorico per eccellenza, il discorso).[39]

Algardi si sentiva in grado di soddisfare il committente (e se stesso) semplicemente lavorando alla scultura sulla base dei modelli dipinti e completandola alla presenza e secondo il gradimento dell'interlocutore responsabile della commissione, chiunque egli fosse. Tale procedimento non avrebbe mai potuto risultare gradito a Bernini, poiché solo il modello in carne ed ossa gli avrebbe consentito di osservare e riprodurre non solo le fattezze dell'effigiato, ma anche e soprattutto l'espressione e il movimento a lui peculiari, insomma il suo spirito e la sua vita. Un corollario di questo processo creativo e di questa particolare ricerca della somiglianza si riscontra nel modo altrettanto eterodosso con cui Bernini diede gli ultimi ritocchi al busto di Luigi XIV. Tra la sorpresa degli astanti, egli trascurò deliberatamente gli studi e i modelli preparatori accuratamente predisposti in precedenza e ultimò il lavoro non già a memoria, bensì direttamente dal modello fisico, alla presenza del re in persona. Altrimenti, sosteneva lo scultore, avrebbe finito per copiare se stesso e non il sovrano.[40]

In ultima analisi, tuttavia, il problema centrale – tale anche ai fini dei tre requisiti essenziali segnalati dallo scultore per i suoi ritratti – stava ben al di là del conseguimento di una somiglianza «vivente». Esso balza evidente da un'altra peculiarità della ritrattistica berniniana: fin dal principio, anche prima di lavorare alla somiglianza, l'artista sbozzava infatti nell'argilla l'«azione» che intendeva conferire al busto,[41] dando vita in tal modo a un approccio destinato a svilupparsi nel modello, mentre i dettagli fisionomici del sovrano venivano studiati in dettaglio in disegni dal vivo. Era questa «idea» del soggetto che lo assillava in modo particolare quando, accantonati i disegni, cominciava a lavorare il marmo. Lo stesso Bernini fornì una definizione di tale problema illustrando la relazione esistente tra il suo metodo di lavoro nell'ambito del ritratto e il significato attribuito dall'artista alla sua procedura. Tale dichiarazione si trova in un brano in cui Bernini illustra a Colbert i rapidi progressi in corso durante la lavorazione del busto di Luigi XIV. Esaurita la fase degli schizzi preparatori, lo scultore «aveva quasi sempre lavorato di fantasia, guardando solo raramente i disegni; battendosi la fronte, diceva di aver guardato soprattutto là dentro, perché là si trovava l'idea di Sua Maestà; se avesse fatto diversamente, il suo *lavoro* sarebbe stato una copia e non un originale, ma questo gli costava un'estrema fatica, e il re, ordinandogli il suo ritratto, non avrebbe potuto chiedergli impresa più ardua; avrebbe fatto di tutto perché fosse il migliore fra tutti i ritratti da lui realizzati fino a quel momento; ma in quel genere di effigi, oltre alla somiglianza, bisogna mettere ciò che si trova nella testa degli eroi».[42] Da questo passo risulta evidente che in fin dei conti, per Bernini, la difficoltà stava proprio nelle finalità ultime del suo lavoro: dar corpo alla propria idea del sovrano – il suo «spirito» – captando le qualità eroiche di Luigi XIV nel mentre se ne registravano le fattezze secondo quel criterio di «somiglianza» caro allo scultore. Per Bernini il ritratto era qualcosa di soprannaturale, la complessa commistione di un'idea e dello stesso slancio vitale dell'effigiato. È soprattutto per questo motivo che per Bernini scolpire il ritratto marmoreo di un modello vivente senza vederlo in movimento non solo era difficile, ma era «quasi impossibile»; e dopo il busto di Francesco I egli tenne fede al proposito di non ripetere mai più questa esperienza.

Il secondo fattore per così dire «sociologico» che mi propongo di esaminare riguarda l'atteggiamento di Bernini nei confronti della commissione estense. È più che evidente che l'artista era tutt'altro che ansioso di affrontare il ritratto, e questo, probabilmente, per ben altre ragioni che non la semplice difficoltà dell'impresa. Dopotutto, Francesco I non era una figura così importante come Carlo I o Richelieu. E d'altra parte poteva essere in gioco anche un fattore di natura politica, giacché Francesco I aveva stretti legami con la Francia, in particolare nella sua veste di comandante in capo delle truppe francesi in Italia. Bernini era stato in stretto rapporto con Urbano VIII Barberini, anch'egli favorevole alla Francia. Ma quando a Urbano VIII successe Innocenzo X Pamphili, nemico giurato sia dei Barberini che della Francia, Bernini cadde in disgrazia e riuscì a risollevarsi solo grazie all'ideazione di un progetto che stava particolarmente a cuore al nuovo pontefice: la *fontana* di Piazza Navona, dove il papa stava erigendo il nuovo palazzo di famiglia. Forse per Bernini era poco saggio lavorare a stretto contatto con la fazione filofrancese. Ciò nonostante, la condotta di Bernini verso il nobile committente dovette risultare ancora più sorprendente allora di quanto non lo sia oggi. Egli era così assorbito da altri progetti – in particolare la fontana di Piazza Navona – da non avere tempo disponibile;[43] era così occupato che era difficile raggiungerlo;[44] lavorava solo per gli amici e i committenti importanti;

doveva essere lusingato e sollecitato, e pagato adeguatamente; non era disposto a discutere questioni di tempo e di denaro,[45] e specifici accordi in merito emersero solo in forma indiretta in rapporto a onorari e pagamenti ricevuti da altri grandi committenti: 3000 scudi da Innocenzo X per la fontana di Piazza Navona,[46] un anello con diamante del valore di 6000 scudi da Carlo I per il suo busto del sovrano.[47]

Tutto ciò rispecchia l'atteggiamento, e la perspicacia, del più affermato e ambìto *image-maker* dell'epoca. Tale atteggiamento, tuttavia, non riguardava soltanto l'aspetto finanziario, ma coinvolgeva anche lo *status* sociale dell'artista. Secondo varie testimonianze, Bernini «si comportava come un re» («opera da re»),[48] e ho l'impressione che il punto fosse proprio questo. A prima vista, infatti, l'atteggiamento dello scultore potrebbe sembrare arrogante, specie per un artista; ma proprio questo stava a significare che egli apparteneva, e con tutta evidenza ne era pienamente consapevole, a quella lunga genealogia di artisti che dall'antichità via via fino a contemporanei del calibro di Velázquez e Rubens aveva mirato a emanciparsi dalla condizione servile dell'artigiano per portarsi al livello di un'aristocrazia dello spirito, di una meritocrazia dell'intelletto e della creatività. La nobiltà non riceveva compensi, e la peculiare forma di riconoscimento in auge tra gli aristocratici – invero la sola – era il dono. È significativo pertanto, in questo contesto, come nel corso dell'intero carteggio il compenso previsto per Bernini sia sempre menzionato come una regalìa, mai come un pagamento o un onorario.[49] Tale distinzione è resa evidente dal fatto che per i tre suddetti busti di governanti (Carlo I, Richelieu, Francesco I), Bernini ricevette dei regali (o nel caso del duca d'Este gli furono offerti), mentre gli uomini incaricati del recapito delle sculture ricevettero soltanto delle «mance».[50] La fraseologia prese poi sfumature particolari allorché l'agente di Francesco I a Roma riferì al duca che Mazarino aveva «regalato nobilissimamente».[51] In omaggio a questo principio di distinzione sociale, il duca ricorse allora a un delicato sotterfugio, dando istruzioni al proprio emissario di riferire a Bernini che il duca aveva inviato 3000 scudi allo scopo di acquistare un dono adeguato, ma che l'artista, se lo preferiva, poteva trattenere la somma.[52] Bernini alla fine optò per il contante perché «di gioie e argenti se ne trovava già proveduto abastanza».[53] La gente tuttavia, compreso lo stesso Bernini, cominciò a mormorare che l'entità di tale riconoscimento, eguagliando la munificenza di Innocenzo X per la fontana di Piazza Navona, rischiava di mettere in imbarazzo il pontefice.[54] Bernini allora presentò l'entità della donazione come un segno della generosità «più che *reale*» di casa d'Este.[55] Ed è importante sottolineare come l'idea e la consistenza stessa di un riconoscimento così «principesco» presentavano una duplice valenza: la diceria secondo cui il duca aveva surclassato il pontefice mirava certamente a lusingare Francesco I, che a sua volta faceva notare come accontentando Bernini avrebbe ratificato il proprio *status* di mecenate («col far restar contento il Bernino penso di conservarmi il credito di stimar la virtù et i virtuosi»).[56] Il credito acquisito da Francesco grazie a questo gesto di grande magnanimità contribuì certamente ad assicurargli quella «reputazione» richiesta al principe virtuoso dalla teoria politica coeva.[57] D'altronde, l'idea d'una gerarchia del merito aveva un duplice significato anche per l'artista, tant'è che alcuni anni dopo ebbe a dichiarare a Luigi XIV che lo ammirava più per la sua «virtù» che per i suoi nobili natali (vedi più avanti, a p. 47).

Da un punto di vista formale questa serie di ritratti a busto apre una nuova fase nella storia dell'arte europea. Due ritratti di Carlo I, ben diversi tra loro, possono a buon diritto ricordare il busto di Bernini, perduto nel famoso incendio di Whitehall nel 1698. Si tratta di due opere piuttosto note, un busto illustrato in un'incisione attribuita a Robert Van Voerst e una scultura riferita a Thomas Adey, con un piedistallo differente (figg. 10, 11). Un valido argomento a sfavore dell'ipotesi che quest'ultima sia fedelmente desunta dalla scultura di Bernini sta nel fatto che in essa tutto, compreso il piedistallo raffigurato nell'incisione, coincide con la convenzionale tipologia del busto di Carlo I messa a punto da François Dieussart prima dell'arrivo in Inghilterra dell'opera berniniana.[58] Tutto tranne la rotazione laterale e verso l'alto del capo, motivo che conferendo al sovrano una sorta di ispirazione divina divenne da allora in poi una delle sigle stilistiche dei ritratti berniniani di regnanti. D'altro canto, vi sono fondati motivi di trovare una traccia del busto di Bernini in un ritratto in terracotta attribuito a Roubiliac, soprattutto grazie al fatto che a differenza di altri busti del re questo presenta sia l'insegna dell'Ordine di San Giorgio appesa al petto, sia la stella nel blasone sul mantello, all'altezza del cuore, come nel ritratto di Van Dyck (fig. 12);[59] per di più, la parte inferiore del busto è drappeggiata in modo tale da dissimulare l'amputazione degli spigoli, un artificio prettamente illusionistico sviluppato da Bernini come un mezzo per esaltare il personaggio fino all'apoteosi. In ogni caso, appare evidente che Bernini si discostò dal modello di Van Dyck almeno sotto tre aspetti essenziali: mostrando il sovrano in armatura, mutando la posizione del capo e trattando il drappeggio come un elemento metaforico del busto. Se proviamo a immaginare la dimensio-

ne eroica acquisita dalla figura del sovrano in virtù della divisa militare, l'espressione nobilmente ispirata del suo volto e l'irreale effetto
«flottante» del torso, possiamo farci una vaga idea di ciò che invero dovette apparire come una soluzione rivoluzionaria e ideale nell'ambito
della ritrattistica di un principe cristiano. Anche il busto del cardinale
Richelieu, considerato di fatto un capo di stato, presenta un porta-
mento enfatico e regale che non appare nel ritratto di Philippe de
Champaigne, né ha riscontri in altri busti berniniani di ecclesiastici,
compresi i pontefici.[60]

   Il ritratto a busto di Francesco I sottende tutte queste considerazioni, per cui, *mirabile dictu*, gli stessi fattori che rendevano il busto
un'«impresa quasi impossibile» ne fecero il precursore di una nuova
era nella storia della cultura europea.

[1] Si veda Appendice, Doc. 43.

[2] Si veda la nota seguente.

[3] Cfr. Docc. 35-37, 41, 44, 45, 47-59, 61, 63, 64.

[4] Per la quale si veda Montagu 1985, I, p. 171.

[5] Per un sommario ragguaglio su queste opere si veda Wittkower 1981, pp. 207 sg., 224, 246 sg.,
254 sgg., e più di recente Avery 1997, pp. 225-250. Studi specifici: per i busti di Carlo I ed Enrichetta Maria, si veda Lightbown 1981; per quello di Richelieu, Laurain-Portemer 1981, pp. 177-
235; per il busto di Luigi XIV, Wittkower 1951, Gould 1982, pp. 35, 41-45, 80-87, e Tratz 1988, pp.
466-478; per il ritratto equestre dello stesso, Wittkower 1961, integrato da Berger 1985, pp. 50-63.

[6] Baldinucci 1948, p. 88.

[7] Bernini 1713, p. 64.

[8] Il senso di identità nazionale implicito in queste commissioni può forse essere rilevato dal fatto, riportato anche dai biografi, che Filippo IV di Spagna, per la cappella funeraria reale dell'E-
scorial, non acquistò un proprio ritratto ma un grande crocifisso bronzeo regalando a Bernini un
gran collare d'oro (Bernini 1713, p. 64; Baldinucci 1948, p. 108; cfr. Wittkower 1981, p. 228 sg.).

[9] 21 luglio 1640; cfr. Laurain-Portemer 1981, p. 202, n. 105.

[10] In merito il testo canonico di riferimento resta Lee 1977.

[11] Sul Paragone di Leonardo e i suoi precedenti, si veda la recente edizione di Farago 1992; sul
Paragone nel XVI secolo, cfr. Mendelsohn 1982; sulla pittura vs. la scultura in particolare, Pepe
1968. Sul disegno di Torino, Pedretti 1975, p. 10 sg.

[12] La tipologia del triplo ritratto è stata studiata da Keisch 1976, alle cui argomentazioni (p. 207)
mi sono sostanzialmente attenuto. Di recente, anche Humphrey, in via pressoché indipendente, è
giunto alla conclusione che il dipinto del Lotto non è in relazione con un ritratto scolpito ma è
un commento del Paragone (Humphrey 1977, p. 110 sg.; Brown *et al.* 1997, pp. 175-177). Il significato delle pose differenti risulta evidente dalla descrizione del dipinto di Van Dyck fornita dallo
stesso Bernini, come riportato in Doc. 10: «tre maniere di postura in profilo in faccia et un'altra
partecipante d'ambidua quelle».

[13] Millar 1963, p. 96 sg.

[14] Questa interpretazione del ritratto di Van Dyck è stata suggerita da Wheelock, in Wheelock *et
al.* 1990, p. 288 sg.

[15] Come riferito da Wheelock *et al.* 1990, pp. 307-309, il progetto originale di un triplice ritratto è emerso da una fotografia a raggi infrarossi della veduta di profilo di Memphis, che mostra a destra una parte della veduta frontale. Che l'idea iniziale fosse quella di realizzare tre vedute risulta da una lettera del 27 novembre 1637: la regina «s'è lasciata depingere in quelle tre maniere che si desiderano per fare la testa compagna di quella del Re» (Lightbown 1981, p. 472, n. 57).

[16] Sugli studi di Bernini per i ritratti e le caricature, e sul procedimento di lavorazione del marmo, si veda Lavin 1990, pp. 24, 39 sg., nn. 18, 19.

[17] Per le date, si veda Lightbown 1981, pp. 442, 445.

[18] La vasta bibliografia sui ritratti di Richelieu eseguiti da Champaigne e da Bernini può essere attinta dagli importanti contributi di Gaborit 1977, e di Laurain-Portemer 1985.

[19] Laurain-Portemer 1985, p. 78.

[20] Su questo ritratto, ora al Victoria and Albert Museum di Londra, si veda Wittkower 1981, p. 208.

[21] «... after this he began to tell us here was an English gent: who wooed him a long time to make his effiges in marble, and after a great deale of intreaty and the promise of a large some of money he did gett of doing a picture after the life or a painting; so he began to imbost his physyognymy, and being finisht and ready to begin in marble, itt fell out that his patrone the Pope came to here of itt who sent Cardinall Barberine to forbid him; the gentleman was to come the next morning to sett, in the meane time he defaced the modell in diuers places, when the gentleman came he began to excuse himselfe that thaire had binn a mischaunce to the modell and yt he had no mind to goe forward with itt; so I (sayth he) I return'd him his earnest, and desired him to pardon me; then was the gent. uery much moued that he should haue such dealing, being he had come so often and had sett diuers times already; and for my part (sayth the Cauelier) I could not belye itt being commanded to the contrary; for the Pope would haue no other picture sent into England from his hand but his Maity; then he askt the young man if he understood Italian well. Then he began to tell yt the Pope sent for him since the doing of the former head, and would haue him doe another picture in marble after a painting for some other prince. I told the Pope (says he) that if thaire were best picture done by the hand of Raphyell yett he would nett undertake to doe itt, for (sayes he) I told his Hollinesse that itt was impossible that a picture in marble could haue the resemblance of a liuing man; then he askt againe if he understood Italian well; he answerd the Cauelier, perfectly well.

Then sayth he, I told his Holinesse that if he went into the next rome and whyted all his face ouer and his eyes, if possible were, and come forth againe nott being a whit leaner nor lesse beard, only the chaunging of his coulour, no man would know you; for doe not wee see yt when a man is affrighted thare comes a pallness on the sudden? Presently wee say he likes nott the same man. How can itt than possible be that a marble picture can resemble the nature when itt is all one coulour, where to the contrary a man has on coulour in his face, another in his haire, a third in his lipps, and his eyes yett different from all the rest? Tharefore sayd (the Cauelier Bernine) I conclude that itt is the inpossible thinge in the world to make a picture in stone naturally to resemble any person.» (Stone 1919, pp. 170-171). L'episodio è riferito anche dal Vertue: «The Cavalier told this Author. that it was imposible to make a bust in Marble. truly like. & to demonstrate it he orderd a person to come in. and afterwards, haveing flower'd his face all over white. ask'd Stone if ever he had seen that face before. he answered no. by which he ment to demonstrate. that the colour of the face. hair. beard. eyes. lipp. &c. are the greatest part of likenes» (Vertue 1929-30, p. 19 sg.).

[22] «En parlant de la sculpture et de la difficulté qu'il y a de réussir, particulièrement dans les portraits de marbre et d'y mettre la ressemblance, il m'a dit une chose remarquable et qu'il a depuis répétée à toute occasion: c'est que si quelqu'un se blanchissait les cheveux, la barbe, les sourcils et, si cela se pouvait, la prunelle des yeux, et les lévres, et se présentait en cet état à ceux mêmes qui le voient tous les jours, qu'ils auraient peine à le reconnaître; et pour preuve de cela, il a ajouté : Quand une personne tombe en pâmoison, la seule pâleur qui se répand sur son visage fait qu'on ne le connoit presque plus, et qu'on dit souvent: *Non parea piu desso;* qu'ainsi il est très-difficile de faire ressembler un portrait de marbre, lequel est tout d'une couleur»: Chantelou 1885, p. 18 (6 giugno); cfr. 1885, p. 94 (12 agosto); «... esser però nel far somigliare in scultura una certa maggior difficoltà, che non nella pittura, mostrando esperienza, che l'uomo, che s'imbianca il viso non so-

miglia a se stesso eppure la scultura in bianco marmo arriva a farlo somigliante»: Baldinucci 1948, p. 146; «...la Pittura può... con la varietà, e vivacità de' colori più facilmente accostarsi alla effigie del rappresentato, e far bianco ciò ch'è bianco, rosso ciò ch'è rosso; Ma la Scultura priva del commodo de' colori, necessitata ad operar nel sasso, hà di mestiere per rendere somiglianti le figure di una impressione vivissima, mà schietta, senza l'appoggio di mendicati colori, e colla forza solo del Disegno ritrarre in bianco marmo un volto per altro vermiglio, e renderlo simile; Ciò che non riuscirebbe, conforme mostra l'esperienza, in un huomo, che inbiancandosi il viso, benche habbia le medesime fattezze, rimanesse simile a se, e pur bisogna, che lo Scultore ne procuri la somiglianza sul bianco marmo»: Bernini 1713, pp. 29 sgg.

[23] Doc. 43. «Il a dit autre chose plus extraordinaire encore: c'est que, quelquefois, dans un portrait de marbre, il faut, pour bien imiter le naturel, faire ce qui n'est pas dans le naturel. Il semble que ce soit un paradoxe, mais il s'en est expliqué ainsi: Pour représenter le livide que quelques-uns ont autour des yeux, il faut creuser dans le marbre l'endroit où est ce livide, pour représenter l'effet de cette couleur et suppléer par cet art, pour ainsi dire, au défaut de l'art de la sculpture, qui ne peut donner la couleur aux choses.» Chantelou 1885, p. 18 (6 giugno). È interessante notare, a questo proprosito, come a giudizio di Bernini il marmo invecchiato presentasse una qualche analogia con il colore dell'incarnato: «le marbre, neuf ou dix ans après avoir été travaillé, acquiert je ne sais quelle douceur et devient enfin couleur de chair»: Chantelou 1885, p. 94 (12 agosto).

[24] Si veda la lettera del 22 febbraio 1642, in Fraschetti 1900, p. 112, n. 2: «Per la Città si è saputo che il Cardinale di Richeliù ha donato un gioiello superbissimo al Cavalier Bernino, et che il Cardinal Mazarino l'ha regalato nobilissimamente per la statua che di sua mano ha fatto al primo: onde mille sono gli Encomij che si fanno sopra la Generosità di ambidue». Il dono fu menzionato da Bernini 1713, p. 68: «Gradì quel Principe [Richelieu] in modo tale il Ritratto che ne dimostrò il gradimento col dono di un Giojelo, che mandò al Cavaliere di trentatrè Diamanti, fra' quali ve n'erano sette di quattordici grani l'uno di peso. Al Balsimelli fè dare per mancia otto cento scudi».
Il gioiello è con ogni evidenza uno dei molti monili elencati nell'inventario degli averi di Bernini: «...un gioiello con il ritratto di Re di Francia circondato da tredici diamanti grossi quanto un cecio, tondi lavorati a faccette e numero novantasei diamanti tra piccoli e mezzani»: Borsi et al. 1981, p. 113.

[25] Docc. 10, 20, 35.

[26] Si veda in epigrafe di questo volume la lettera di Bernini al duca del 20 ottobre 1651 (Doc. 43). Il cardinale Rinaldo, ripetendo senza dubbio ciò che aveva udito dallo stesso Bernini, formulò l'espressione «quasi impossibile» nella stessa accezione, in una lettera al duca del 17 agosto 1650 (Doc. 14). Si vedano anche i commenti fatti da Bernini a Nicholas Stone nel 1638, citati sopra alla nota 21.

[27] Il giuramento di Bernini è riportato da Stone (cfr. sopra n. 21) e viene menzionato anche nel carteggio riguardante il busto di Francesco I; cfr. Doc. 10, 38.
Alla fine, Bernini fu del tutto restio dall'eseguire altri ritratti, citando come precedente Michelangelo: «Il a répété le difficulté qu'il y a à faire un portrait de marbre... Il a dit que Michel-Ange n'en avait jamais voulu faire.... Il a dit ensuite à ces Messieurs la peine où il était toutes les fois qu'il était obligé de faire un portrait; qu'il y avait déjà du temps qu'il avait résolu dans son esprit de n'en plus faire, mais que le Roi lui ayant fait l'honneur de lui demander le sien, il n'avait pas pu refuser un si grand prince...»: Chantelou 1885, p. 94 (12 agosto); cfr. Chantelou 1885, p. 111 (21 agosto).

[28] La veduta frontale viene menzionata nei Docc. 10, 11, 12, 14, 16, 17, 20, 69, 73; l'ampiezza delle spalle nei Docc. 20, 21.

[29] Sulla prima fase della ritrattistica berniniana, si veda Lavin 1968.

[30] Doc. 5. Per questo episodio si veda anche Montagu 1985, I, pp. 157-162.

[31] Sulla questione dei tempi e del compenso, si veda a p. 25 sg. e sotto, n. 47. Sulla difficoltà, Docc. 10, 14, 20, 38, 42, 43. Sulla «difficoltà» come elemento normativo del risultato artistico nel Rinascimento, si veda Summers 1981, pp. 177-185.

[32] Doc. 6.

[33] Su questo punto, si veda anche Tratz 1988, p. 466.

[34] I primi ritratti berniniani di «eroi reali» (per tale concetto, si veda sopra) vengono specificamente richiamati in uno dei poemi dedicati al busto di Luigi XIV (Chantelou 1885, p. 100, 16 agosto).

[35] Si veda Chantelou 1985, p. 38, n. 116.

[36] Per quanto segue, la miglior fonte di ispirazione resta lo splendido studio di Wittkower (1951).

[37] Si vedano le testimonianze citate alla nota successiva. Le finalità degli schizzi sono descritte in questi termini dallo stesso Bernini: «Le Cavalier... a besoin à présent de voir le Roi pour le particulier du visage de Sa Majesté, n'ayant jusques ici travaillé qu'au général; durant quoi il n'a même presque pas regardé ses dessins, qu'aussi ne les avait-il faits que pour s'imprimer plus particulièrement l'image du Roi dans l'esprit et faire qu'elle y demeurât *insuppata et rinvenuta*, pour se servir de ses propres termes; qu'autrement, s'il avait travaillé d'après ses dessins, au lieu d'un original il ne ferait qu'une copie; que même, s'il lui fallait copier le buste lorsqu'il l'aura achevé, il ne lui serait pas possible de le faire tout semblable; que la noblesse de l'idée n'y serait plus à cause de la servitude de l'imitation...» (Chantelou 1885, p. 75, 30 luglio). Il proposito di Bernini di non ripetersi neppure nelle copie dello stesso busto realizzate volutamente nascevano da non meno di tre casi in cui, a causa di talune imperfezioni del marmo, gli erano state richieste delle repliche: Scipione Borghese, Urbano VIII, Innocenzo X (si veda Johnston et al. 1986, n° 14; Wittkower 1981, p. 221 sg.). In ognuno di questi casi la seconda versione mostra cambiamenti modesti ma significativi. Senza dubbio a causa del tempo limitato, Bernini, come ricorda Domenico Bernini, diede disposizione che in previsione di tale eventualità fossero predisposti, per il busto di Luigi XIV, due blocchi di marmo. Il fattore tempo è ricordato in una lettera di Mattia de' Rossi del 5 giugno (Mirot 1904, p. 207) e in una dell'11 giugno di Chantelou (1885, p. 30). Sui due blocchi di marmo, si veda anche Chantelou 1885, p. 40 sg., 30 giugno; e Bernini 1713, p. 135. Considerata l'enfasi posta più volte da Bernini sulle limitazioni insite nella ritrattistica marmorea, specialmente per quanto riguarda il colore, risulta evidente che nel famoso dialogo tra lo scultore e il sovrano francese riportato da Chantelou le battute di Bernini racchiudono ben altro che semplice adulazione: «... il a dessiné d'après le Roi, sans que S. M. ait été assujettie de demeurer en une place. Le Cavalier prenait son temps au mieux qu'il pouvait; aussi disait-il de temps à autre, quand le Roi le regardait:'Sto rubando.' Une foi le Roi lui repartit, et en italien même: *Si, ma è per restituire.* Il répliqua lors à Sa Majesté: *Però per restituire meno del rubato»* (1885, p. 40, 28 giugno).

[38] «Diceva egli che nel ritrarre alcuno al naturale consisteva il tutto in saper conoscere quella qualità, che ciascheduno ha di proprio, e che non ha la natura dato ad altri che a lui, ma che bisognava pigliare qualche particolarità non brutta, ma bella. A quest'effetto tenne un costume dal comune modo assai diverso, e fu: che nel ritrarre alcuno non voleva ch'egli stesse fermo, ma ch'e' si si movesse, e ch'e' parlasse, perché, in tal lmodo, diceva egli, ch'e' vedeva tutto il suo bello e lo contrafaceva com'egli era: asserendo, che nello starsi al naturale immobilmente fermo, egli non è mai tanto simile a se stesso, quanto egli è nel moto, in cui quelle qualità consistono, che sono tutte sue e non d'altri e che danno la somiglanza al ritratto; ma l'intero conoscer ciò (dico io) non è giuoco da fanciulli» (Baldinucci 1948, p. 144). «Tenne un costume il Cavaliere, ben dal commune modo assai diverso, nel ritrarre altrui ò nel Marmo, ò nel disegno: Non voleva che il figurato stasse fermo, mà ch'ei colla sua solita naturalezza si movesse, e parlasse, perche in tal modo, diceva, ch'ei vedeva tutto il suo bello, e'l contrafaceva, com'egli era, asserendo, che nello starsi al naturale immobilmente fermo, egli non è mai tanto simile a sè stesso, quanto è nel moto, in cui consistono tutte quelle qualità, che sono sue, e non di altri, e che danno la somiglanza al Ritratto» (Bernini 1713, p. 133 sg.).

[39] «Le Cavalier, continuant de travailler à la bouche, a dit que, pour réussir dans un portrait, il faut prendre un acte et tâcher à le bien représenter; que la plus beau temps qu'on puisse choisir pour la bouche est quand on vient de parler ou qu'on va prendre la parole; qu'il cherche à attraper ce moment» (Chantelou 1885, p. 133, 4 settembre). Sulla nozione di «somiglianza parlante» si veda l'importante contributo di Harris 1992.

[40] Si vedano i brani di Chantelou citati alle nn. 34 e 39. Il procedimento è descritto anche dai biografi di Bernini: «Per fare il ritratto della maestà del re di Francia, egli ne fece prima alquanti modelli; nel metter poi mano all'opera, alla presenza del re tutti se gli tolse d'attorno e a quel mo-

narca che ammirando quel fatto, gli domandò la cagione del non volersi valere delle sue fatiche, rispose che i modelli gli erano serviti per introdurre nella fantasia le fattezze di chi egli dovea ritrarre, ma quando già le aveva concepite e dovea dar fuori il parto, non gli erano più necessari, anzi dannosi al suo fine, che era di darlo fuori non simile a' modelli, ma al vero» (Baldinucci 1948, p. 144); «In oltre fù suo costantissimo proposito in somiglianti materie, far prima molti disegni, e molti della figura, ch'egli dovea rappresentare, mà quando poi nel Marmo metteva mano all'opera, tutti se li toglieva d'attorno, come se a nulla gli servissero: E richiesto dal Rè, che prese maraviglia di questo fatto con domandargliene la cagione, del non volersi valere delle sue istesse fatiche, rispose, che i Modelli gli erano serviti per introdurre nella fantasia le fattezze di chì egli doveva ritrarre, mà quando già le haveva concepite, e doveva dar fuori il parto, non gli erano più necessarii, anzi dannosi al suo fine, che era di darlo fuori, non simile alli Modelli, mà al Vero» (Bernini 1713, p. 134).

Si veda anche il resoconto fornito dal rivale di Bernini a Parigi, Charles Perrault: «Il travailla d'abord sur le marbre, et ne fit point de modèle de terre, comme les autres sculpteurs ont accoutumé de faire, il se contenta de dessiner en pastel deux ou trois profils du visage du Roi, non point, à ce qu'il disoit, pour les copier dans son buste, mais seulement pour rafraîchir son idée de temps en temps, ajoutant qu'il n'avoit garde de copier son pastel, parce qu'alors son buste n'auroit été qu'une copie, qui de sa nature est toujours moindre que son original» (Perrault 1909, p. 61 sg.).

[41] «...il a demandé de la terre afin de faire des ébauches de l'action qu'il pourrait donner au buste, en attendant qu'il travaillât à la ressemblance»: Chantelou 1885, p. 30, 11 giugno. Al riguardo, si veda Wittkower 1951, p. 6. Giulio Mancini agli inizi del XVII formulò la fondamentale distinzione fra il «ritratto semplice», di pura imitazione, e il «ritratto dell'action et affetto» (Mancini 1956-57, I, p. 115 sg.; si veda anche l'interessante nota di Bauer in Chantelou 1985, p. 85 sg., n. 154).

[42] «M. Colbert Lui a témoigné être étonneé combien l'ouvrage étàit avancé, et qu'il le trouvait si ressemblant qu'il ne jugeait pas qu'il fùt besoin qu'il travaillât à Saint-Germain. Le Cavalier a reparti qu'il y avait toujours à faire à qui voulait faire bien; que jusqu'ici il avait presque toujours travaillé d'imagination, et qu'il n'avait regardé que rarement les dessins qu'il a; qu'il ne regardait principalement que là dedans, montrant son front, où il a dit qu'était l'idée de Sa Majesté; que autrement il n'aurait fait qu'une copie au lieu d'un original, mais que cela lui donnait une peine extrême et que le roi, lui demandant son portrait, ne pouvait pas lui commander rien de plus pénible: qu'il tàcherait que ce fùt le moins mauvais de tous ceux qu'il aura faits; que, dans ces sortes de portraits, il faut, outre la ressemblance, y mettre ce qui doit être dans des têtes de héros» (Chantelou 1885, p. 72 sg., 29 luglio).

[43] Docc. 9, 25.

[44] Doc. 23.

[45] Doc. 4.

[46] Docc. 32, 40, 41, 68, 69.

[47] Doc. 20 e nota successiva. Secondo altre fonti tale importo era di 4000 scudi (cfr. Lightbown 1981, pp. 447 sgg., il quale cita a confronto altre opere di Bernini, come per esempio il ritratto di Scipione Borghese, pagato 1000 scudi).

[48] Doc. 23.

[49] Si vedano i Docc. menzionati sopra alla nota 46; e Doc. 37. Sul significato della regalìa come forma di compenso, si veda la sezione relativa a «Vecchi e nuovi criteri di valutazione delle opere d'arte» in R. e M. Wittkower 1963, pp. 22-25, e più di recente Warwick 1997, p. 632 sg. I Wittkower tendono a inquadrare la regalia in rapporto alla precedente tradizione artigiana del baratto e del compenso in natura, più che nella tradizione della liberalità aristocratica. La differenza principale sta nel fatto che nel primo caso i beni concessi erano di natura pratica, mentre nel secondo si trattava di beni di lusso di considerevole valore. Sulla «Nobiltà della professione artistica» e sulle relative componenti, si veda il capitolo dei Wittkower «Tra la fame e la fama», pp. 253-280. In un solo caso Bernini usa l'espressione «mi fà pagare» (Doc. 76).

[50] I doni per i ritratti sono menzionati nel carteggio berniniano alla Bibliothèque Nationale di Parigi, in un elenco di alcuni tra i più rimarchevoli emolumenti dello scultore:
«Alcune remunerazioni haute dal Cav.re Bernino

Per il ritratto del Rè Carlo 2.o d'Inghilterra un'diamante che portava in dito, di valore di sei mila scudi
Per il ritratto del Card.le Richelieù una gioia di quattro mila scudi
Per il ritratto del Duca Fran.co di Modena tre mila scudi in tanti Argenti» (B.N. ms ital 2084, fol. 126 r).
Domenico Bernini ricorda la generosa «mancia» offerta agli uomini incaricati di recapitare a destinazione i busti di Carlo I («...si cavò dal dito un Diamante di sei mila scudi di valore, e consegnatelo a Bonifazio disse, ...; in oltre mandò al Cavaliere copiosi regali di preziosissimi panni, & a Bonifazio fè donare per mancia mille scudi», Bernini 1713, p. 65 sg.), e Richelieu (si veda sopra, n. 24).

[51] Si veda sopra n. 24.

[52] Il duca concepì tale accorgimento quando si accorse che lo scrigno tedesco d'argento che aveva in animo di acquistare era troppo caro e non valeva il suo prezzo: Doc. 30. I 3000 scudi per Bernini sono ricordati nei Docc. 66, 77, 79. Cfr. anche i Docc. 86, 87, 88.

[53] Doc. 69. Sulla collezione di gioielli di Bernini si veda sopra alla nota 24.

[54] Doc. 68.

[55] Doc. 76.

[56] Doc. 18; vedi anche Doc. 85.

[57] Su tale concetto di «reputazione» si veda sotto pp. 35, 37.

[58] L'incisione e il busto di Windsor furono messi in relazione per la prima volta con il perduto ritratto di Bernini rispettivamente da Cust 1908-9, e Esdaile 1938, 1949. L'ipotesi contraria, basata su precedenti busti di Dieussart, è stata avanzata da Vickers 1978.

[59] Si veda Vickers 1978.

[60] Sui più antichi precedenti di questo tema, si veda L'Orange 1982; in rapporto a Bernini, cfr. Lavin 1994, pp. 256 sgg., e sotto p. 40 sg. Nella produzione dello scultore le analogie più stringenti con questa tipologia si riscontrano in opere di ispirazione religiosa come i ritratti di Roberto Bellarmino, Suor Maria Raggi e Gabriele Fonseca. È importante notare, tuttavia, che con l'eccezione di Richelieu, Bernini non fece mai ricorso a questa tipologia nei suoi ritratti di ecclesiastici viventi, compresi i pontefici (sempre impostati in chiave di umiltà), ma vi fece ritorno al termine della sua carriera nel «ritratto» del Salvator Mundi (per il quale, in rapporto alla tradizione del busto in apoteosi, si veda Lavin 1972, pp. 177-184).

II. Bernini e l'immagine del principe cristiano ideale[*]

In questo saggio intendo prendere in considerazione tre celebri ritratti di sovrani, eseguiti dal Bernini, inserendoli in un contesto al quale finora non si è mai fatto riferimento, ma che ritengo sia essenziale per comprenderne forma e significato. Pur rifacendosi a tipologie tradizionali, in ognuno di essi Bernini ha introdotto modifiche fondamentali, realizzando tre immagini di *leadership* secolare tra le più possenti e innovative della storia dell'arte europea.[61] Le opere in questione sono il busto di Francesco I d'Este, duca di Modena, eseguito nel 1650-51 a partire da due ritratti su tela dipinti da Sustermans (fig. 13); il busto di Luigi XIV realizzato durante il soggiorno di Bernini a Parigi, dove si era recato nell'estate del 1665 per riprogettare il Louvre (fig. 14), e il monumento equestre sempre di Luigi XIV, ideato a Parigi ma eseguito dopo il ritorno di Bernini a Roma (fig. 15). Questo gruppo equestre, inviato a Parigi anni dopo la morte dell'artista, suscitò una reazione molto ostile e, trasformato in un ritratto di Marco Curzio che si getta in un abisso di fiamme per salvare il suo popolo, venne infine collocato nel giardino di Versailles (E lì rimase fino a quando nel 1980, anno del terzo centenario della morte di Bernini, subì una brutale mutilazione in un atto di «terrorismo culturale». Ripulito e restaurato, il gruppo è ora esposto nella nuova sezione di scultura alle *Grandes Ecuries* di Versailles).

Per essere comprese, queste opere dovrebbero, a mio avviso, essere inserite nella grande tradizione di teoria e prassi politica che ha caratterizzato l'inizio dell'età moderna e che oggi, grazie agli studi pionieristici di Friedrich Meinecke e Rodolfo De Mattei, è nota come antimachiavellismo.[62] Questo movimento ha avuto inizio verso la metà del XVI secolo in risposta alla devastante critica condotta da Machiavelli contro la tradizionale teoria politica cristiana. L'intento era di contrastare la *Realpolitik* di Machiavelli, radicalmente amorale, con una sorta di *Realpolitik* ideale che conservasse, facendoli anzi rivivere, elementi essenziali dell'ideologia scolastica, riveduti e corretti in modo da consentire quelle deroghe per le necessità, a volte spiacevoli, della prassi politica mondana su cui tanto aveva insistito Machiavelli. Tra i vari sostenitori di questo orientamento vi erano, soprattutto in Spagna, i gesuiti, i quali tentavano di proporre un'alternativa al modello di Machiavelli, secondo il quale l'arena laica della politica era dominata da una cinica mancanza di scrupoli. A partire dalla fine del XVI secolo un vero e proprio fiume di opere anti-machiavelliane difese l'importanza dei princìpi morali cristiani non solo per gli ideali utopici di governo interno e di diplomazia internazionale, ma anche per un'arte di governo concreta ed efficace. L'argomentazione chiave di questa nuova «ragion di stato» era che la miglior forma di governo, la monarchia, pur essendo in ultima istanza responsabile solo di fronte a Dio, era comunque basata sul consenso del popolo e che il potere del sovrano derivava in pratica dalla sua fama e questa, a sua volta, dall'esercizio della virtù.[63]

Nel vasto fiume del pensiero politico cristiano della Controriforma, mi interessa isolare una corrente particolare, che definirei «teoria del principe-eroe»,[64] teoria che stabilisce una relazione tra moralità e potere politico tale da presentare il vecchio concetto di monarca cristiano ideale in una versione nuova e moderna. I gesuiti sono stati sostenitori importanti, se non esclusivi, di questa corrente, ma la mia ipotesi è che proprio la teoria del principe-eroe, pur se modificata in modo sottile e prodigioso da Bernini, sia stata il *tertium quid* che ha legato l'artista ai gesuiti nella sfera secolare.[65]

Il busto di Francesco I d'Este segue una tipologia - quella della figura militare in armi, con il busto avvolto in un mantello drappeggiato - sviluppata nel corso del XVI secolo a partire da modelli antichi e divenuta poi piuttosto consueta alla metà del XVII (fig. 16).[66] Rispetto a quelle rappresentazioni, tuttavia, le proporzioni del busto sono state ampliate al punto tale che la larghezza supera effettivamente l'altezza. La testa è relativamente piccola, così l'ampia chioma di capelli dai fitti riccioli e l'enorme torso trasmettono un'impressione di imponenza e massa soverchiante. La testa è nettamente girata a destra, mentre il corpo è rivolto nella direzione opposta, con la spalla destra in avanti e la sinistra arretrata. Sembra che l'attenzione del modello sia stata attirata da una qualche scena in lontananza, verso la quale si volge con un movimento spontaneo che pervade l'intera figura. Particolare importanza, qui, riveste il trattamento del drappeggio, che avvolge la figura creando un'illusione soprannaturale o, per meglio dire, una serie di illusioni. Lungo il limite inferiore non si notano profili spezzati, ma solo pieghe, mentre il panneggio viene tirato sul petto partendo dalla spalla destra in alto e annodato a sinistra in basso; di conseguenza il corpo non appare troncato ma avvolto (come avrebbe fatto ai nostri tempi Christo) in modo da formare un'unità a sé stante. Le pieghe, tuttavia, hanno una forma che, sotto il drappeggio, lascia indovinare la sagoma familiare di un busto con le braccia amputate sopra il gomito e il torso arrotondato in fondo. Infine, in corrispondenza della spalla e del braccio sinistro, l'estremità del mantello balza in alto come se fosse improvvisamente sollevata da una folata di vento. Non ci troviamo faccia a faccia con Francesco d'Este, ma con un busto di Francesco, protetto e sospinto verso l'alto dal suo mantello. Del resto, un visitatore settecentesco francese di Modena scrisse in maniera calzante che il busto sembrava flottare in aria («il semble flotter en l'air»).[67]

In realtà, Bernini ha fatto sua la consueta tipologia del busto con drappeggio trasformandola in una tradizione del tutto diversa e specificamente celebrativa, mediante un esplicito richiamo alla ritrattistica dei busti romani. La figura si staglia contro uno stendardo celebrativo, il cosiddetto *parapetasma*, spesso sostenuto da personificazioni della vittoria o da putti alati (fig. 17).[68] Nell'antico culto degli antenati, con questo accorgimento si suggeriva l'ascesa al cielo dell'anima del defunto. Negli anni '30 e '40 del XVII secolo, Bernini aveva ripreso questo motivo adattandolo a una serie di monumenti commemorativi e trasformando lo stendardo sospeso in un emblema fluttuante della caducità (fig. 18).

Bernini, così, ha fatto rivivere l'immagine classica dell'apoteosi, conferendo al ritratto del duca d'Este, sia nel busto che nel drappeggio, una sostanza fisica e una funzione mai viste prima d'allora. Busto e drappeggio non sono elementi separati e distinti, ma sono integrati - si direbbe, alla lettera - in un'unica forma coerente che fa convergere la celebrazione del modello in un unico gesto drammatico. Il ritratto di Francesco I presenta l'antico tema della divinizzazione in modo nuovo: nobilita l'individuo elevandolo a un grado più alto non solo di significato ma anche di esistenza. Il ritratto rappresenta infatti l'idea di eroe nel senso classico e originale del termine: riconoscendo esplicitamente che si tratta del simulacro di un uomo, il busto proclama che l'uomo effigiato partecipa dell'essenza divina.

È a questo riguardo che il concetto anti-machiavellico di principe-eroe assume importanza per il nostro argomento. Ritengo che tale concetto sia stato sviluppato in reazione a un dilemma posto dai due fondamentali, e apparentemente inconciliabili, princìpi politici del cattolicesimo: il potere spirituale del monarca assoluto è legittimato in ultima istanza da Dio, ma il suo potere effettivo risiede nel consenso dei sudditi. La pratica della virtù, elemento centrale anche nella filosofia di Machiavelli, rappresentava la chiave di volta per conciliare queste due istanze contrapposte. L'interpretazione di Machiavelli, più vicina all'abilità o all'intelligenza, venne però trasformata dai suoi oppositori nell'equivalente politico delle tradizionali virtù cristiane, soprattutto delle virtù morali: Prudenza, Fortezza, Giustizia e Temperanza. Esercitando queste virtù il sovrano poteva acquisire una reputazione in grado di fargli guadagnare il consenso popolare e, nel contempo, poteva avvicinarsi e mantenere il contatto con il divino. Il principe-eroe incarnava questa fusione paradossale tra umano e divino. Tale concetto ibrido - a volte, infatti, le due parole erano unite da un trattino - rappresentava una precisa rinascita e un adattamento del concetto classico di semidio, metà umano e metà divino, le cui virtù sovrumane gli facevano meritare il nobile appellativo di «eroe». Lo sviluppo di questo concetto nella sfera secolare trova un solido e coerente corollario religioso nel principio teologico della virtù eroica, fattore essenziale nel processo di canonizzazione dei santi introdotto per la prima volta nel 1602 e formulato minuziosamente più avanti nel corso del secolo.[69]

Sembra che Giovanni Battista Pigna, famoso poeta, storico e pensatore politico ferrarese, abbia per la prima volta articolato questa teoria in modo chiaro e intenzionale verso la metà del XVI secolo. Pigna era segretario del principe Alfonso II d'Este, duca di Ferrara, professore presso l'Università di Ferrara e storico ufficiale della famiglia d'Este. Pare che Pigna fosse letteralmente dominato dall'idea di eroe tanto da pubblicare nel 1561 due opere sull'argomento: un trattato, intitolato *Il principe* e dedicato al duca Emanuele Filiberto di Savoia, anche se scritto per Alfonso II di Ferrara, e un poema epico intitolato *Gli heroici*, dedicato ad Alfonso; poi, nel 1570, fu la volta di una voluminosa storia dei principi d'Este.[70] In realtà, Pigna combinò due tradizioni diverse ma connesse, quella del diritto divino dei sovrani, uno dei tanti aspetti del pensiero medievale recuperati dalla Controriforma, e quella propria degli antichi per cui la sacralità del potere era racchiusa nella figura di un eroe semidio.

Pigna portò avanti la fusione tra quelle due tradizioni attraverso una serie di argomentazioni altrettanto innovative. Tra le schiere di angeli, quelli che svolgono la funzione di guardiani dei prìncipi appartengono a un ordine superiore rispetto a quelli che, invece, proteggono gli esseri umani.[71] Il principe eroico è così pienamente benedetto dalle virtù teologiche che lo si può chiamare più propriamente divino rispetto ad altri esseri umani dotati delle medesime virtù. Ai prìncipi è stata data una guida divina di grado più elevato rispetto agli uomini normali perché sono più importanti, e lo sono perché gli altri dipendono da loro. Quest'ultimo è il punto chiave della posizione di Pigna: la natura divina del principe deriva dal suo dovere e dal suo scopo, cioè raggiungere la perfezione consentendo anche ai suoi sudditi di raggiungerla mediante la partecipazione alla vita politica.

Al principe viene data la sovranità sugli altri perché possa dedicarsi completamente allo sradicamento del male e alla diffusione del bene tra il suo popolo. Il principe ideale, la cui natura eroica supera quella umana, ha il compito non di ampliare i confini dello stato, ma di garantire che il suo popolo viva secondo virtù. In questo modo la natura sacra della sovranità fu adattata alla giustificazione morale e religiosa della vita attiva.

È importante sottolineare che non si trattava di una mera speculazione astratta o di una metafora letteraria, ma che la questione aveva una valenza immediata e concreta per Pigna. La sua storia dei duchi d'Este, che diede vita nel Castello di Ferrara a un vero e proprio tripudio di ritratti genealogici illustranti l'antichità della stirpe estense, intendeva in particolare legittimare le rivendicazioni di precedenza dinastica della famiglia d'Este sui Medici; una disputa, questa, di capitale importanza per la politica dell'epoca.[72] Questo argomento comportava grandi conseguenze anche per la teoria politica europea, soprattutto perché coinvolgeva direttamente il ruolo del papato negli affari di stato. Se il potere del sovrano era di diretta derivazione divina, il papa non aveva alcun ruolo di intermediazione tra il regno dei cieli e il regno della terra. Se, invece, il sovrano governava per consenso popolare, doveva comunque rispondere all'autorità superiore del vicario di Cristo sulla terra, perché i suoi poteri erano di derivazione indiretta.

Nonostante Pigna non fosse un gesuita, la sua posizione è comunque importante nel nostro contesto perché venne ripresa e sviluppata da Domenico Gamberti, un gesuita modenese autore di una corposa relazione su un catafalco monumentale eretto nella chiesa di Sant'Agostino per i funerali del duca Francesco, avvenuti il 2 aprile 1659.[73] Gamberti si avvalse della storia della famiglia d'Este scritta da Pigna, da cui prese sia il panegirico di Francesco, sia l'elaborata e complessa genealogia della famiglia a cui si ispirava buona parte della decorazione del catafalco. Gamberti intendeva attribuire a Francesco la definizione generale di principe eroico elaborata da Pigna e, così facendo, giunse anche a precisare e sviluppare la teoria stessa. L'idea di principe eroico che, in Pigna, ha un ruolo marginale rispetto all'argomentazione principale, diventa invece il cardine dell'opera di Gamberti, come dimostra a chiare lettere il titolo del libro: *L'Idea d'un principe ed eroe cristiano in Francesco I d'Este, di Modena e Reggio Duca VIII, Generalissimo dell'arme reali di Francia in Italia, ecc.*

Gamberti sviluppa fino a un certo punto la metafora tradizionale identificando l'eroe, e quindi il sovrano, con il sole. Il paragone, spesso ripetuto, si gioca tra il principe-eroe e il sole, tra la sua nobiltà rispetto ai sudditi e la nobiltà del sole rispetto agli altri pianeti. Gamberti si avvale anche di altre metafore suggestive come, ad esempio, quelle del simulacro somigliante al suo scultore divino, del piccolo mondo, ecc.[74] Il termine Idea viene preso con molta serietà da Gamberti il quale, seguendo la definizione platonica di Idea come modello divino, descrive il principe come modello per tutti gli altri esseri umani.[75] L'autore, inoltre, definisce l'eroe con molta attenzione citando la formulazione apodittica di Luciano: l'eroe non è né uomo né Dio, ma entrambi contemporaneamente (*Heros est qui neque homo est, neque Deus, et simul utrumque est*).[76] L'idea di un perfetto principe-eroe trova il suo compimento in Francesco I, che riunisce tutte le virtù necessarie in un coro armonioso.[77] Basandosi su Tommaso d'Aquino (la più importante delle fonti scolastiche a cui attinsero i pensatori anti-machiavelliani della Controriforma), Gamberti suddivide le competenze del principe-eroe in due sfere, quella civile e quella militare, in entrambe le quali sono considerate fondamentali le quattro virtù morali: Prudenza, Fortezza, Giustizia e Temperanza.[78]

Gamberti è particolarmente interessante per il modo in cui riesce a conciliare efficacemente i diritti ereditari del principe con lo *status* di principe-eroe definito in termini di virtù. Particolarmente significativo è il suo concetto di nobiltà che, seppur basato sulla dinastia, è comunque intimamente connesso con la virtù. Secondo le sue affermazioni, la nobiltà non deriva, come è opinione corrente, soltanto da un lignaggio antico, ma anche dalla virtù.[79] Può dirsi nobile soltanto colui che eredita le virtù dai suoi avi e il più alto grado di nobiltà scaturisce non solo dall'antichità della famiglia, ma anche dalle virtù ereditate.[80] A questo concetto si ispirò l'architetto Gaspare Vigarani per progettare le decorazioni funerarie anche se, al momento della cerimonia, si trovava già a Parigi dove in seguito avrebbe realizzato la *Salle des Machines* nelle Tuileries; il figlio Carlo, a lui succeduto come architetto teatrale di Luigi XIV, fu proprio la persona incontrata da Bernini in occasione della sua visita a Parigi nel 1665.[81] Le decorazioni si estendevano sui due lati della navata, sulla facciata e sul catafalco stesso, comprendendo, oltre all'illustrazione delle imprese e dei fatti salienti della vita del duca, ritratti di suoi antenati organizzati secondo le virtù da questi rappresentate e tramandate al duca stesso. Gamberti definì tale procedimento come «idea retrospettiva» del principe-eroe,[82] che incorpora così il passato nel presente, costituendo legame tra il divino e l'umano, tra nobiltà e virtù.

Nonostante l'opera di Gamberti venisse pubblicata qualche anno dopo l'esecuzione del ritratto, egli riprodusse il busto sul frontespizio, in modo da suggerire che esso era l'equivalente scultoreo commemorativo del suo soggetto (fig. 19): in effetti, una figura allegorica inscrive il titolo dell'opera sul piedistallo a simboleggiare la vittoria sulla morte riportata dal sovrano cristiano.[83] Benché non ci sia motivo di supporre che i due si siano mai incontrati, il loro legame è evidente anche perché le statue equestri rampanti raffiguranti gli antenati di Francesco I d'Este, poste binate sul catafalco insieme a coppie di colonne tortili (fig. 20), anticipano in modo stupefacente il progetto di Bernini per il monumento equestre a Luigi XIV. Sappiamo anche che a Bernini fu chiesto di fornire un progetto per il monumento equestre a Francesco I poco dopo la morte del duca.[84]

In parte, comunque, la comunanza di pensiero tra Gamberti e Bernini è da far risalire a una fonte comune. Verosimilmente si potrebbe trattare di Tarquinio Galluzzi, emerito professore di retorica durante la prima metà del XVII secolo presso il Collegio dei Gesuiti di Roma, il Collegio Romano, che Bernini deve aver conosciuto molto bene[85] (Galluzzi tenne l'orazione per il funerale di Roberto Bellarmino, la cui tomba nella Chiesa del Gesù venne ornata da Bernini con il famoso busto, che lo ritrae in fervida devozione). Galluzzi è stata una figura produttiva nello sviluppo del teatro gesuita: scrisse diverse importanti tragedie in stile classico su soggetti cristiani, nonché trattati e commentari di carattere teorico. In un prolisso commentario sull'*Etica Nicomachea* di Aristotele, egli cita il passo della *Politica* (III, XIV, 11, 14) che possiamo considerare fonte ultima dell'idea di principe-eroe: qui Aristotele descrive la fase originaria della monarchia, l'età degli eroi, quando gli dèi vivevano tra gli uomini e li governavano per consenso unanime.[86]

I progetti di Bernini per la corte modenese che, oltre al busto e alle statue equestri di Francesco, comprendevano disegni per la risistemazione del palazzo ducale, hanno avuto una profonda influenza sulle opere analoghe intraprese per Luigi XIV.[87]

Il busto del sovrano riecheggia distintamente quello di Francesco, ma porta le sue innovazioni a compiere un significativo passo in avanti, e non soltanto perché sono trascorsi quindici anni, ma perché

Luigi XIV non era un duca, bensì le Roi Soleil. Le differenze sono profonde. Gli occhi e la testa vigorosamente girata a lato, dalla chiara espressione di superiorità, non trasmettono arroganza ma, piuttosto, una nobile *hauteur* di ardente ispirazione. L'esuberante parrucca inghiotte il viso in un'aureola di riccioli sciolti, serpeggianti e vivaci, esaltati da un profondo sottosquadro e da guizzanti tagli in profondità, riccioli che scendono verso il basso in guisa di scintillante cascata. Queste modifiche hanno consentito di assimilare i tratti di Luigi XIV a quelli comunemente associati al più grande monarca dell'antichità, Alessandro, la cui espressione ricca di pathos e la «chioma leonina» erano a loro volta già state assimilate a quelle di Helios (fig. 21), dio del sole dai riccioli fiammeggianti. La somiglianza con Alessandro venne notata già dagli osservatori dell'epoca e sottolineata dallo stesso Bernini. Nel busto è incluso un braccio destro implicito abbassato e piegato dietro il torso, che fa da contraltare alla spinta in avanti della spalla. Questo vigoroso contrapposto si rifaceva sempre ad Alessandro il cui ritratto, eseguito da Giulio Romano, Bernini ha evidentemente adattato al suo scopo (fig. 22). L'estremità inferiore del torso è ora completamente dissimulata dal drappeggio e non resta traccia della convenzionale forma del busto, tanto che le braccia e il corpo sembrano continuare nell'occhio della mente: non è l'immagine di Luigi XIV, ma Luigi stesso.[88] Nel contempo, il drappeggio scorre a lato come un vero e proprio tappeto magico che trasporta la figura viva in avanti e in alto.[89] Si deve interpretare quest'ultima e somma illusione ricordando che Bernini intendeva completare l'opera con un piedistallo ugualmente straordinario che, però, non venne mai realizzato. Il busto sarebbe rimasto poggiato su un globo terrestre in rame dorato e smaltato, che avrebbe recato l'ingegnosa iscrizione *picciola basa* («piccola base»); il globo, a sua volta, sarebbe stato poggiato su un drappo in rame blasonato di trofei militari e virtù; queste ultime, senza dubbio, avrebbero richiamato nello specifico gli attributi del principe-eroe; l'intero gruppo sarebbe quindi stato collocato su un podio.

Bernini si rifaceva, in parte, a un antico tipo di busto montato su un globo (celeste) per suggerire una apoteosi. In particolare deve avere avuto in mente uno splendido busto monumentale dell'imperatore Claudio che, nel basamento, comprendeva un globo e una panoplia di bottini militari (fig. 24); alla metà del XVII secolo l'antico busto con il basamento era stato collocato su un podio anch'esso scolpito.[90] Sono convinto, tuttavia, che lo scopo principale di Bernini fosse di realizzare nel suo ritratto del sovrano ciò che si potrebbe chiamare un vivente analogo del simbolo ubiquitario che Luigi XIV aveva adottato due an-

ni prima, nel 1662, come suo emblema personale e che era pratica-
mente diventato sinonimo del suo nome (fig. 25). L'emblema raffigura-
va il sole come un viso raggiante, sospeso in alto sopra le nuvole, e un
globo terrestre con il motto *Nec pluribus impar* («Non disuguale rispetto a molti»). Sembra che la relazione non sia mai stata rilevata in precedenza, ma tale immagine ha un'origine prettamente intellettuale e
piuttosto innocente: il sole di Apollo che splende alto nel cielo scac-
ciando le nubi che avvolgono la terra era il «marchio» creato nel 1617
da Pieter Paul Rubens per l'editore di Anversa Jan van Keerbergen (fig.
27), il cui motto nel commercio librario era *Fovet et ornat* («nutre e de-
cora»). Il motto di Luigi XIV, comunque, fu oggetto di roventi polemi-
che geo-politiche.[91] Il suo significato - il sovrano, come il sole, è in grado di «illuminare» più di un impero - venne spiegato dallo stesso Luigi
XIV nelle sue memorie e da Claude-François Menestrier, uno degli
insigni gesuiti francesi dell'epoca. Menestrier scrisse molte opere di
numismatica, araldica, sfragistica, cerimonie funerarie, e su ogni sorta
di spettacoli pubblici compresi i fuochi d'artificio. Nel 1679 pubblicò
un intero testo sull'emblema del sovrano, *La Devise du roy justifiée*, che è
di fondamentale importanza per comprendere le reali implicazioni del
simbolo e, per estensione, quelle del ritratto di Bernini. Il trattato intendeva confutare l'affermazione di un autore precedente, secondo cui
l'emblema era stato impiegato da Filippo II di Spagna in riferimento
alle conquiste spagnole del Nuovo Mondo.[92] Menestrier dimostrò in
modo definitivo che questo uso precedente era una pura invenzione.

Non c'è dubbio, tuttavia, che l'emblema inventato per Luigi XIV
fosse in realtà una risposta all'antico stemma della famiglia asburgica:
due colonne simboleggianti le colonne d'Ercole, erette ai confini della terra con l'iscrizione *Non plus ultra* («Non [o Niente] al di là»). Lo
stemma poteva riferirsi a una conquista insuperabile, fisica o spirituale-
le, oppure a una limitazione imposta dalla prudenza; per gli Asburgo
esso designava anche l'estensione geografica dell'impero. Luigi XIV si
sostituì agli Asburgo nel vantare una sovranità estesa fino ai limiti del
mondo conosciuto, asserendo che il suo potere si diffondeva ben al di
là dei suoi domini. L'origine di questa implicazione e, quindi, la ragione dell'emblema di Luigi XIV può essere ricercata in un unico contesto: quello della Pace dei Pirenei del 1659, con cui si interruppe il pre-
dominio degli Asburgo di Spagna e si stabilì la pace tra i due vecchi
nemici. La Spagna cedette vasti territori alla Francia; vennero tracciati
i confini tra i due paesi, fu combinato il matrimonio tra Luigi XIV e
Maria Teresa d'Austria, figlia di Filippo IV, unendo le due famiglie, e
Luigi XIV acconsentì a non perseguire il suo progetto espansionistico

oltre i Pirenei. In innumerevoli panegirici, Luigi XIV venne celebrato come messaggero di pace e il suo successo venne attribuito proprio alla sua volontaria astensione da una guerra che, se affrontata, avrebbe persino potuto portarlo alla conquista della Spagna e dei suoi possedimenti. Nel ritratto del Bernini questo nobile autocontrollo è suggerito dal movimento del braccio destro, che Luigi XIV piega all'indietro piuttosto che in avanti in segno di comando. Il monumento incarna l'apoteosi del principe-eroe nell'immagine «incorporea» del sovrano che è sospesa su un drappeggio al di sopra di un globo, la cosiddetta *picciola basa*, così come nell'emblema di Luigi XIV il sole è sospeso sulle nuvole sopra un globo terrestre che, in realtà, è molto più piccolo di quanto potrebbe essere. La concatenazione storica di queste osservazioni è evidente: basti pensare al fatto che Menestrier, in un'altra opera, parla specificamente delle virtù eroiche di Luigi XIV proprio quando spiega l'emblema del *Nec pluribus impar* e Menestrier conosceva bene l'opera di Gamberti dalla quale cita abbondantemente.[93]

Nel ritratto equestre del sovrano si rivela con la massima enfasi e spettacolarità quanto Bernini debba al concetto di principe-eroe antimachiavellico, a Menestrier e alla simbologia di Luigi XIV. Quest'opera si discosta dagli esempi precedenti tanto radicalmente quanto il busto. In questo, infatti, come pure nel busto di Francesco I, il monarca è ritratto senza alcun armamentario allegorico: anziché un modello classico, egli indossa la propria armatura e mostra al collo il suo colletto veneziano, mentre dall'espressione sembra a un osservatore che stia per impartire un ordine.[94] Tutto ciò subisce radicali modifiche nel monumento equestre, dove Luigi XIV appare abbigliato all'antica, in una foggia austera e senza fronzoli, mentre le sue fattezze, per quanto ne sappiamo da fonti coeve, risultano totalmente trasfigurate in quelle di un giovane alessandrino dal sorriso smagliante. Inoltre egli impugna il suo bastone in segno di potere, non già con un gesto di comando. L'opera è la prima autonoma statua monumentale in marmo di un cavaliere su un destriero rampante mai realizzata dall'antichità. Essa, inoltre, è ben al di sopra delle dimensioni reali, è stata ricavata da un unico blocco di marmo e, presumibilmente, è la più grande scultura monolitica dall'antichità. È quindi eroica tanto nelle dimensioni quanto nella tecnica.

Il pieno significato della scultura di Bernini diviene palese soltanto se si comprende il contesto in cui doveva essere vista. Essa doveva essere collocata non su un tradizionale basamento architettonico, ma sulla sommità di un picco roccioso, attorniata da un turbinio di bandiere gonfiate dal vento a simboleggiare la conquista della vetta (figg. 27, 30,

32). Come il drappeggio del busto di Luigi XIV, gli stendardi sciolti al vento sembravano trasportare in alto il ritratto. Infatti, si comprende che anche il monumento equestre era a suo modo una viva ricreazione dell'emblema personale del sovrano, dove le bandiere sostituiscono le nubi quali elementi di mediazione tra la terra sottostante e il sole in alto. Inoltre, due monumentali colonne tortili, che richiamano sia le colonne d'Ercole sia le colonne trionfali romane di Traiano e Marco Aurelio, dovevano affiancare la scultura, che avrebbe dovuto recare l'iscrizione *Non plus ultra* (cfr. fig. 29).[95] Qui è esplicito e totale il riferimento allo stemma degli Asburgo - *Non plus ultra* con colonne accoppiate -, e il messaggio è ovvio. Avendo raggiunto l'apice della gloria, Luigi si ferma e non procede oltre. In questo caso ci è nota la precisa fonte di Bernini. Nel 1660 si tenne a Lione una fastosa celebrazione per la Pace dei Pirenei e per il matrimonio tra Luigi XIV e Maria Teresa d'Austria che univa le due monarchie. Una delle strutture effimere erette in punti strategici della città compendiava le implicazioni politiche dell'evento. Su un cumulo di trofei militari recanti l'iscrizione *Non ultra* si ergeva la personificazione della Guerra (Bellona) tra due colonne a cui erano incatenate le sue braccia (fig. 30).[96] Una colonna era decorata con l'emblema della Francia, l'altra con quelli del Leòn e della Castiglia, e il tutto era posto in cima a un massiccio con due picchi scoscesi che rappresentava i Pirenei. Al gesuita Menestrier, nativo di Lione e autore di una prolissa descrizione delle celebrazioni, si può in effetti far risalire l'allegoria. Egli dà una spiegazione che, assieme alla stessa immagine, deve avere inciso profondamente su Bernini:

«Per la gloria degli eroi è spesso desiderabile che siano essi stessi a porre volontariamente dei limiti ai propri disegni, prima che lo facciano di necessità il Tempo e la Morte [...]. L'esempio grandioso [di Ercole che innalzò le colonne e poi si fermò a riposare dopo le sue vittorie] fece ammirare a tutto il Mondo la moderazione del nostro Monarca, che, dotato di maggior ardore e coraggio di qualsiasi altro eroe dell'antica Grecia e di Roma, seppe tenere a freno le proprie mosse generose nel bel mezzo del successo e della vittoria e seppe porre di propria volontà dei limiti alla sua fortuna [...]. Il trofeo che lo renderà glorioso nella storia di tutti i tempi sarà il sapere che questo giovane conquistatore preferì la quiete del suo popolo ai vantaggi della sua gloria e sacrificò il proprio interesse alla tranquillità dei suoi sudditi».[97]

L'emblema di Menestrier aiuta a spiegare numerosi punti importanti relativi alla concezione berniniana del ritratto equestre, in particolare, e della natura della sovranità, in generale. Per quanto riguarda il primo aspetto, abbiamo una testimonianza notevole dello stesso artista che definisce il significato, quasi senza precedenti nella storia della ri-

trattistica equestre, che egli intendeva trasmettere con la sua opera.
Bernini risponde alle critiche di un

«ingegnoso cavalier Francese, che assuefatto alla vista del suo Re in atto Mae-
stoso, e da Condottiere di Eserciti, non lodava, che quì allora coll'armatura
pur'indosso, e sopra un Cavallo medesimamente guerriero, si dimostrasse nel
volto giulivo, e piacevole, che più disposto pareva a dispensar grazie, che ad at-
terrir'inimici, e soggiogar Provincie. Poiche spiegògli a lungo la sua intenzione,
quale, benche espressa adeguatamente ancora nell'Opera, tuttavia non arrivò a
comprendere il riguardante. Dissegli dunque, non haver'egli figurato il Re Luigi in atto di commandare a gli Eserciti, cosa che finalmente è propria di ogni
principe, mà haverlo voluto collocare in uno stato, al quale non altri che esso era
potuto giungere, e ciò per mezzo delle sue gloriose operazioni. E come che fingono i Poeti risieder la gloria sopra un altissimo ed erto Monte, nella cui sommità rari sono quelli, che facilmente vi poggiano, ragion vuole, come quei, che
pur felicemente vi arrivano dopo i superati disaggi, giocondamente respirino
all'aura di quella soavissima gloria, che per essergli costata disastrosi travagli, gli è
più tanto cara, quanto più rincrescevole gli fù lo stento della salita. E perche il
Rè Luigi con il lungo corso di tante illustri vittorie haveva già superato l'erto di
quel Monte, egli sopra quel Cavallo lo collocava nel colmo di esso, pieno pos-
sessore di quella gloria, che a costo di sangue haveva acquistato il suo nome.
Onde perché è qualità propria di chi gode la giovialità del volto & un'avvenen-
te riso della bocca, quindi è, che tale appunto haveva rappresentato quel Monarca. Oltracche, benche questo suo pensiere si potesse ben ravvisare nel Tutto
di quel gran Colosso, tuttavia molto più manifesto apparirebbe, quando collocar
si dovesse nel luogo destinato. Poiche colà doveasi scolpir in altro Marmo una
Rupe proporzionata erta, e scoscese, sopra cui haverebbe in bel modo a posare il
Cavallo con quel disegno, ch'ei fatto ne haverebbe».[98]

Il motivo per cui Bernini non ha ritratto Luigi XIV al comando del
suo esercito va ricercato nel commento di Menestrier all'emblema di
Lione: la scultura è, sì, l'effigie di un soldato ma rappresenta, in ultima
analisi, un'immagine di pace. Questa chiave di lettura permette anche
di comprendere l'accento posto da Bernini sui «disagi», i «disastrosi
travagli», il «rincrescevole stento», nonché il «costo di sangue» che Luigi aveva dovuto sopportare per la propria grandezza. Bernini, in realtà,
diede al pensiero di Menestrier un respiro universale: i Pirenei diven-
nero i monti della virtù, e il contenimento dell'espansione territoriale
divenne simbolo della vittoria su se stessi, somma conquista del vero
eroe.[99] Così Bernini è riuscito a dare corpo a entrambi i significati del
tradizionale *Non plus ultra* connesso alle colonne d'Ercole, mostrando
che Luigi XIV aveva raggiunto il limite estremo della gloria attraverso vittorie che gli erano costate grande sacrificio personale. La singo-
larità dell'idea di Bernini risiede nella pungente ironia del grande eroe
che raggiunge le vette del trionfo spirituale limitando le proprie am-

bizioni mondane. Il monumento equestre diventa quindi un emblema
di forza non solo militare ma anche morale, un veicolo di precetti non
solo politici ma anche etici. Il potere, visto da Bernini, è potenzial-
mente in grado di annientare, ma viene trattenuto con un contegno di
benevola fermezza.

Mi auguro che risulti ormai chiaro come Bernini fu profondamente debitore verso la viva, e prevalentemente gesuita, tradizione dell'arte di governo morale, rappresentata dal movimento anti-machiavellico,
verso l'idea del principe-eroe e le spiegazioni di Menestrier sull'immagine emblematica di Luigi XIV. Il peso, ma anche il limite, dell'influenza gesuita nello sviluppo delle idee berniniane a tale riguardo, e il
significato politico attribuito dall'ordine al monumento equestre, possono essere desunti dal tono molto lucido e sottile di una lettera scritta da un buon amico di Bernini, il generale dell'Ordine dei gesuiti
Giovanni Paolo Oliva. Questi in precedenza aveva svolto un ruolo importante nel convincere l'artista a effettuare il viaggio a Parigi, e nel
1673, avendo visto da poco la scultura a Roma, scrisse al suo confratel-
lo parigino Jean Ferrier, titolare da qualche tempo della funzione ne-
vralgica di confessore del re, per illustrargli la teoria del governo come
sacrificio di se stessi, collegando nel contempo in modo specifico tale
teoria alla lotta contro l'eresia – e in particolare alla corrente gianseni-
sta, allora molto ben vista a corte – nonché alla minaccia turca. Oliva
era anche consigliere spirituale del papa e le sue considerazioni indu-
cono a ritenere che la visita di Bernini a Parigi potesse rientrare nella
strategia di Alessandro VII mirante a ottenere l'appoggio del sovrano
francese di fronte a queste minacce alla Chiesa:[100]

«Però mi congratulo con la Città di Parigi che presto ammirerà nella sua più
famosa piazza una macchina di cui l'Europa non ne vede, nè vedrà miglior, e per
l'oggetto che rappresenta e per l'arte con cui è figurata. Non altro manca à l'ac-
clamato miracolo fuorchè la corona sul capo del Principe rappresentato. Dalle
due corone che veneriamo comandati, quella di gloria al Re la diede il nascimento che l'espose al mondo Principe di tanti Stati, l'altra di lauro a lui la por-
gono tante piazze eretiche espugnate dalla sua spada. Resta l'ultima dell'olivo
più gloriosa di tutte e da tutti sospirata, ove in essa con la pace universale fra
Principi fedeli si cinga sua Maestà, nè a suoi preggi rimane che aggiungere, nè
può accrescersi freggio per cui risplende. Tale Ghirlanda non si lavora dal ferro,
e però dal Cav.re non si è sovraposta alle tempie del simulacro e solo un Rè carico di tanti Trofei può caricarsene col superar se stesso soppo d'haver superati i
nemici della fede mentre trionfa di natione tronfante con tanto danno della Re-
ligione fin nell'ultimo oriente. Appartiene a V. R. offerire con la santità di suoi
consigli a si potente Rè i rami d'una corona che presso Dio, e presso i Buoni
precede à qualunque diadema, e la prego di suoi santi sacrificij».[101]

Per un aspetto importante, tuttavia, credo che Bernini sia andato oltre i suoi predecessori. Colpisce il fatto che le opere di Bernini commissionate da Luigi XIV – i progetti per il Louvre e i ritratti del sovrano – siano quasi totalmente prive di elementi che si riferiscono alla regalità o alla dinastia, come corone, ritratti di antenati, gigli e oggetti simili. Colbert deplorò questa austerità persino mentre Bernini si trovava ancora a Parigi. In realtà, qui c'è qualcosa in più oltre a quello che l'occhio incontra (o, meglio, non incontra): dietro il «contenimento dell'ereditarietà» si cela la visione implicita e sovversiva del sovrano come uomo dotato di nobili ideali e di meriti riconducibili non solo alla sua nobile nascita, ma anche alle sue virtù e fatiche eroiche. Bernini, in procinto di partire da Parigi per Roma, fu così temerario da sostenere questa precisa posizione di fronte al sovrano. Era nata un'immediata simpatia tra i due e il giovane monarca desiderava che Bernini restasse in Francia per portare a termine i suoi diversi progetti. Avendo fatto gli ultimi tocchi al busto, l'artista, un po' in avanti con gli anni, affermava che «sarebbe stato felice di trascorrere il resto della sua vita al servizio [del sovrano], non perché egli fosse il re di Francia e un grande sovrano, ma perché si era reso conto che lo spirito [di Luigi] era persino più elevato della sua condizione».[102]

Entrambi gli aspetti di questa provocatoria combinazione di valori – la sovranità per diritto divino conferita a un individuo che l'ha meritata attraverso l'esercizio della virtù – trovarono esplicita espressione in due medaglie commemorative complementari alla statua, coniate a Roma sicuramente sotto l'egida del papa.[103] La prima reca l'iscrizione *Hac iter ad superos* («questo è il cammino che porta agli dei»), alludendo all'arduo vertice di virtù e alla padronanza di sé conseguiti dall'eroe vittorioso (fig. 32). Questo sentimento era insito nel mito di Ercole, e desunto in particolare dal tema di Ercole al bivio: l'eroe sceglie il difficile sentiero della rettitudine tralasciando la facile via del piacere e incarnando in tal modo la suprema virtù dello stoico, la conquista di se stesso.[104] Lo stesso Bernini aveva fatto ricorso a tale idea proponendo di disporre ai lati dell'ingresso del Louvre, a guisa di guardiani, due figure di semidei, raffiguranti la Fortezza e la Fatica. L'artista spiegò al re che «...sopra detto scoglio dalle parte della porta principale invece d'adornamento di doi colonne, vi ha fatto due grandi Ercoli, che fingono guardare il palazzo, alle quali il sig. caval. gli da un segnificato e dice Ercole è il retratto della vertù per mezzo della sua fortezza e fatica, quale risiede su il monte della fatica che è lo scoglio...e dice chi vuole risiedere in questa regia, bisogna che passi per mezzo della vertù e della fatica. Qual'pensiero e alegoria piacque grandamente a S. M., pa-

rendogli che havesse del grande e del sentesioso».[105] In termini archi-
tettonici, Bernini aveva fatto riferimento, in questa circostanza, a un'illustre creazione della romanità, il doppio tempio di Onore e Virtù, la
cui disposizione obbligava il visitatore a transitare attraverso il primo
se voleva raggiungere il secondo.[106] E con ogni probabilità l'immagine
che aleggiava nella fantasia di Bernini doveva richiamare il frontespizio dei uno dei più popolari trattati di teoria politica cristiana, l'*Idea
principis christiano-politici* di Diego de Saavedra Fajardo, pubblicato nel-
l'edizione di Bruxelles del 1649 (fig. 33).[107] Qui Ercole, vegliato da una
guardia d'onore di virtù, guida il principe cristiano in armi, il quale sta
schiacciando sotto i piedi l'Idra dell'eresia, lungo un sentiero che porta ai templi della vetta, ove è l'iscrizione *hac itur ad astra*, «questa via
conduce alle stelle».[108] L'altra medaglia (fig. 34) riporta invece, quale
sfida suprema del principio di sovranità, il motto iscritto sulle bandiere che dovrebbero guidare verso il cielo la statua equestre: *Et maior ti-
tulis virtus* («la virtù è superiore ai titoli»). Massima stupefacente su un
monumento a Luigi XIV, il Re Sole.

Alla base di tutti questi concetti si può scorgere un principio politico radicale: il vero fondamento del potere legittimo risiede nella virtù
individuale e nell'autocontrollo, più che nel rango ereditato o nel potere sfrenato. Dando forma al concetto di principe-eroe, Bernini lo
definì in modo da sfidare i fondamenti stessi della teoria monarchica
tradizionale, compresa quella degli anti-machiavelliani.[109] Nelle sue
opere di intento politico egli creò un nuovo, rivoluzionario mezzo di
espressione visiva che trasmettesse un nuovo ideale sociale altrettanto
rivoluzionario.[110]

---

*Eccezione fatta per pochi riferimenti integrativi, questo contributo è stato presentato per la
prima volta a un convegno dal titolo «Les Jésuites et la Civilisation du Baroque (1540-1640)», or-
ganizzato da Louis de Vaucelles, S.J. e tenutosi nel giugno del 1991 a «Les Fontaines», Chantilly, in
occasione delle celebrazioni de «L'Anno di Ignazio». Sono grato a Padre Vaucelles per avermi
consentito di pubblicare il mio contributo in altra sede integrandolo con le illustrazioni del caso.

[61]   Questo studio rientra in parte in una serie di contributi relativi alla natura, al significato e allo sviluppo dell'illusionismo nel busto scolpito italiano a partire dal Rinascimento (Lavin 1968,
1970, 1972, 1975, 1978). Parte degli argomenti trattati in questa sede sono già stati svolti in Lavin
1994, pp. 233-324, cap. «Bernini's Image of the Sun King», dove sono altresì reperibili i riferimenti completi alle fonti.

[62]   Meinecke 1957 (prima edizione, 1927), De Mattei 1982-84; si veda anche Dempf 1937, Lutz
1961, Viroli 1994, pp. 155-184. Le opinioni di alcuni dei maggiori esponenti di questa scuola di
pensiero, comprendente anche i gesuiti Giovanni Botero, Pedro de Ribadeneira, Adam Contzen e
Carlo Scribani (nonché Giusto Lipsio, che con i gesuiti ebbe stretti rapporti), sono state recentemente riesaminate da Bireley 1990, del cui lavoro sono profondamente tributario nonostante tratti autori differenti e mi dedichi a temi diversi. Per un ulteriore approfondimento, si veda più di re-

cente Colomer 1992, 1995, e alcuni degli studi in Continisio e Mozzarelli (a cura di) 1995.

[63] Su questo concetto di «reputazione», si veda Bireley 1990, s.v.

[64] La concezione del principe-eroe è stata studiata in particolare da De Mattei 1982-84, I, p. 222, II p. 22 sg., e Skalweit 1957, p. 71 sg.

[65] I rapporti di Bernini con i gesuiti sono stati spesso enfatizzati, talora in misura eccessiva, come uno dei principali fattori di sviluppo della sua arte nella sfera religiosa (Weibel 1909; Kuhn 1969, 1970; Haskell 1971, pp. 85 sgg., 1972, pp. 56 sgg.; Wittkower 1972, pp. 11 sgg.; Lavin 1972, 1994 [capitolo sui busti del Bernini dell'*Anima Beata* e *Dannata*]; Blunt 1978; Connors 1982; Frommel 1983); chi scrive ha peraltro ipotizzato possibili relazioni con il teatro dei gesuiti (Lavin 1989). Nel corso della trattazione, risulterà evidente come uno degli argomenti principali di questo contributo stia appunto nel sottolineare che una precisa distinzione tra la sfera secolare e quella religiosa permane particolarmente oscura proprio nell'ambito dell'opera di governo.

[66] Il busto di Lelio Frangipane di Alessandro Algardi, illustrato in questa sede a titolo di esempio, viene datato alla metà degli anni trenta del XVII secolo dalla Montagu 1985, II, p. 427.

[67] Lalande 1769-90, I, p. 452.

[68] Sul precoce ricorso di Bernini ai motivi del *parapetasma* e dell'immagine retta da figure alate, si veda Lavin 1980, p. 52, p. 69 sg.; nel ritratto a busto, in particolare, il secondo espediente trova il suo culmine nell'ultima opera dell'artista, il busto del Salvatore, posto su un piedistallo formato da due angeli genuflessi (Lavin 1972, pp. 171 sgg.; 1973; 1978). Questa tipologia monumentale di Bernini è stata studiata più a fondo da Bernstock 1980, 1981.

[69] Si veda Hofmann 1933; 1948-54, III, «Canonizzazione», coll. 595 sg., 605 sg.

[70] *Il principe*, 1561; *Gli heroici*, 1561; *Historia*, 1570. Su Pigna, si veda De Mattei 1982-84, I, p. 33 sg., II, pp. 21 sgg. (al cui compendio delle idee di Pigna mi sono rifatto in questo studio), e la letteratura citata in Bozza 1949, p. 38 sg.

[71] Comprendendo questo concetto, Bernini sembra averlo ripreso specificamente laddove attribuì il rapporto tra la nobiltà d'animo e il comportamento di Luigi XIV «all'opera di quei due angeli che secondo i teologi erano la guida dei re...»: «Le Cavalier a dit qu'il avait trouvé ce que lui avait rapporté M. le cardinal légat, qu'il reconnaîtrait le roi, sans l'avoir jamais vu, entre cent seigneurs, tant sa façon et son visage avaient de majesté et portaient de recommandation. Il a dit ensuite que ce n'était encore rien; ma, *che il cervello*, pour user du mot, répondait admirablement à cet air et à cette noblesse, ne parlant jamais qu'il ne dît des chose dignes d'être notées et les plus à propos du monde... Le Cavalier a dit que cela venait sans doute de ce que les théologiens tiennent que les rois ont deux anges pour les conduire...» (Chantelou 1885, p. 187 sg., 28 settembre).

[72] Sulla genealogia e la ritrattistica di casa d'Este, si veda Iotti (a cura di) 1997, in particolare p. 38 sg. Sulla serie di duecento ritratti estensi eseguiti a fresco negli anni '70 nella corte del castello di Ferrara, si veda Coffin 1955, che fornisce anche un ragguaglio circa le implicazioni politiche, e Lodi 1986; sulla disputa circa la precedenza dinastica, si veda in particolare Santi 1897, Mondaini 1898.

[73] *L'idea*, 1659; Gamberti, in *Corona*, 1659, descrive anche l'apparato decorativo allestito in tale circostanza. La sua definizione dell'Eroe è riportata da De Mattei 1982-84, II, p. 23, n. 26. La decorazione del catafalco venne ripresa nell'ambito del completo restauro di Sant'Agostino che fece seguito alle esequie (Conforti 1985, p. 227). Un esempio unico, per quanto ne sappia, di riproduzione stabile di un apparato effimero.

[74] Gamberti, *L'idea*, 1659, pp. 32, 33, 42, 44.

[75] *Ibid.*, pp. 66 sgg., 100 sg.

[76] *Ibid.*, p. 102. L'autore cita da Luciano, *Dialoghi*.

[77] Gamberti, *L'idea*, 1659, p. 113.

[78] *Ibid.*, pp. 115, 118.

[79] *Ibid.*, p. 123.

[80] *Ibid.*, pp. 125, 133.

[81] Su Vigarani, si veda Gamberti, *Corona*, 1659, p. 5, e *L'idea*, 1659, p. 17; Chantelou 1985, p. 81 n. 144; Southorn 1988, pp. 56-58.

[82] Gamberti, *L'idea*, 1659, p. 139.

[83] Il disegno del piedistallo si ripresenta in quello del ritratto a busto di Mazarino inserito nel 1661 da Giovanni Francesco Grimaldi nel catafalco funerario del cardinale allestito nella chiesa romana dei SS. Vincenzo e Anastasio (Fagiolo dell'Arco 1997, ill. a p. 401). Una figura in atto di apporre un'iscrizione al piedistallo di un busto appare anche in una vignetta raffigurante la virtù principesca del mecenatismo (figg. 33, 34); si veda Docc. 91, 92, Southorn 1988, p. 58 sg., tav. 58.

[84] Sul progetto per il monumento equestre a Francesco I vi è un carteggio del giugno 1659, pubblicato da Fraschetti 1900, p. 226.

[85] Su Galluzzi e la sua probabile influenza su Bernini, si veda Lavin 1989, p. 28.

[86] Galluzzi 1645, p. 527: «Quartam [Regalis Politiae, vel Monarchiae species] facit eam quae fuit Heroum tempore Saturni, Neptuni, Herculis, Thesei... Videbantur enim velut inter homines Dii. Itaque species haec ideo dicta Heroica est, quod Heroes illo regni genere volentibus populis secundum probatum morem, ac secundum legem dominarentur»; cfr. De Mattei 1982-84, II, p. 23 n. 25.

[87] Sul collegamento Parigi-Modena si veda il Prologo. Sul lavoro di Bernini per Modena, si veda Fraschetti 1900, pp. 221-229, Zanugg 1942, Matteucci 1987, Southorn 1988, *passim*, Rombaldi 1992, pp. 69-74, le schede relative di Borsi 1980, 316-317.

[88] Tale effetto fu particolarmente apprezzato dai contemporanei. L'ambasciatore veneziano, per esempio, «a fort loué le buste, et a dit que le Roi était comme en action de donner quelque commandement dans son armée..; qu'encore que ce buste fût sans membres, il semblait néanmoins avoir du mouvement» (Chantelou 1885, p. 102, 17 agosto; citato da Wittkower 1951, p. 17).

[89] Va sottolineato che l'andamento verso l'alto del drappeggio sul davanti, tale da rivelare la curvatura del basamento, sembra ricordare un'altra antica forma di ritratto commemorativo, l'erma, in cui il passaggio dal torso alla forma astratta del supporto risulta pressoché impercettibile.

[90] Si veda Lavin 1972, p. 180 sg.; 1973, p. 435 sg.; 1994, pp. 261-265. I dubbi formulati da Dent-Weil, ed. 1978, p. 83 sg., circa la mia datazione del trasferimento del busto di Claudio in Spagna, sono stati sciolti da F. Carinci in Carinci *et al.* 1990, pp. 21-24. Una prova palmare dell'importanza rivestita dal busto di Claudio presso la cerchia di Bernini è fornita dalla grande copia in legno che fungeva da piedistallo per il busto di Gustavo Adolfo di Svezia, padre della regina Cristina, conservato nel palazzo romano della sovrana ed eseguito con ogni probabilità prima che l'originale andasse in Spagna nel 1664; entro il 1756 tale copia venne trasferita a Bologna e utilizzata per un busto monumentale oggi conservato presso la locale Accademia delle Scienze (*I materiali* 1979, p. 144 sg.).

[91] Si veda Judson e van de Velde 1978, pp. 196-198.

[92] Oggetto della confutazione di Menestrier era un'affermazione di Picinelli 1970, p. 17. Menestrier (1679, prefazione e pp. 4, 32) riproduce un esemplare della medaglia con la data 1662, attribuendo l'invenzione dell'emblema, come pure del titolo «Grand», a tale «M. Douvrier» (a proposito di Louis Douvrier, si veda Michaud 1811-62, XI, p. 626; *Dictionnaire* pp. 1933 sgg., XI, col. 709; *L'Académie* 1963, p. 4 n° 3).

[93] Menestrier 1662, pp. 129 sgg.

[94] Per tutti questi aspetti, si veda Wittkower 1951, pp. 16, 17, 18. Va notato, a tale riguardo, il fatto che a Bernini venne fornita come modello - da lui peraltro largamente ignorato - una celebre armatura decorata con elaborati motivi a rilievo raffiguranti la vicenda di Cesare e Pompeo, armatura che si pensava fosse stata disegnata da Giulio Romano per Francesco I (Chantelou 1885, p. 49, 9 luglio, p. 151, 10 settembre; p. 258, 21 ottobre). La corazza, che è tuttora visibile al Louvre (fig. 26), venne effettivamente realizzata da Etienne Delaune per Enrico II (*L'Ecole* 1972, pp. 420-421, n° 582, con bibliografia). Sono molto grato a Stuart W. Pyhrr del Metropolitan Museum di New York per la sua vasta conoscenza in materia e per la cortese risposta alla mia richiesta riguardo all'armatura.

[95] La medaglia di Carlo VI illustrata alla fig. 28 rispecchia chiaramente il progetto di Bernini, fat-

ta eccezione per le colonne laterali, che non sono tortili ma rimandano alla tipologia impiegata di norma per l'emblema asburgico, e per il basamento, che è il tradizionale blocco rettangolare.

[96] Pubblicato per la prima volta da Menestrier 1660, p. 54 sg. Vedi il *Post scriptum* a p. 52.

[97] Menestrier 1662, p. 129 sg.: «Il seroit souvent à souhaiter pour la gloire des Heros qu'ils missent eux mesmes des bornes volontaires à leur desseins avant que le Temps ou la Mort leur en fissent de necessaires...c'est ce grand Example, qui doit faire admirer à tous les Peuples la moderation de nostre Monarque qui ayant plus d'ardeur & de courage que n'en eurent tous les Heros de la vieille Grece & de Rome, à sceu retenir ces mouvemens genereux au milieu du succez de ses victoires, & donner volontairement des bornes à sa fortune...Ce sera aussi ce Trophée qui le rendra glorieux dans l'histoire de tous les siècles, quand on sçaura que ce ieune conquerant à préféré le repos de ses Peuples aux avantages de sa gloire, & sacrifié ses interests à la tranquillité de ses Sujets».

[98] Bernini 1713, pp. 149 sgg.

[99] La lettura berniniana del concetto autolimitativo da me sviluppato in 1994, pp. 283-304, è stata fatta recentemente propria da K. Hermann Fiore in *Bernini scultore* 1998, 326.

[100] Sulla situazione in questo periodo, si veda Pastor 1923-53, XXXI, pp. 482 sgg. Altri studiosi hanno avanzato l'ipotesi, non incompatibile con tale teoria, che il papa diede il proprio permesso nel quadro di una composizione delle problematiche relazioni con la Francia a seguito della Pace di Westfalia (Ludovici, in Baldinucci 1958, p. 249, Krautheimer 1985, p. 141).

[101] Per il testo completo della lettera, si veda Venturi 1890, p. 143, Fraschetti 1900, p. 360 n. 2; si veda anche Wittkower 1961, p. 527 sg., per un'altra versione conservata nel carteggio di Bernini alla Bibliothèque Nationale di Parigi.

[102] «...il s'estimerait heureux de finir sa vie à son service, non pas pour ce qu'il était un roi de France et un grand roi, mais parce qu'il avait connu que son esprit était encore plus relevé que sa condition» (Chantelou 1885, p. 201, 5 ottobre). Un'altra versione dell'osservazione di Bernini fu riferita da Oliva in una lettera al Marchese de Lionne, segretario agli affari esteri di Luigi XIV, poco dopo il rientro dell'artista a Roma. Oliva riportò che nel lodare il sovrano Bernini lo aveva privato dei suoi nobili natali e del suo impero, insistendo sul fatto che la sua superiorità era dovuta in maggiore misura alla capacità del suo ingegno e ad altre virtù; la grandezza del rè, infatti, non era dovuta alla vastità dei suoi domini o alla forza delle sue armi: «È giunto in Roma il Cavaliere Bernino, trasformato in tromba del Rè Cristianissimo, che di Scultore l'ha renduto quasi Sasso, tanto si mostra attonito alle Doti incomparabili di S. M. Questo stupore nell'eccesso, sì della gratitudine a gli onori inauditi e a' grossi soccorsi, come dell'ammirazione alla grandezza e alla magnanimità d'un tanto Rè, l'ha precipitato in una prodigiosa ingratitudine: mentre, per celebrare Monarca di tanto merito, l'ha spogliato del Nascimento e dell'Imperio; protestandolo assai più sublime, per la capacità della mente, per la prudenza della lingua, per la splendidezza della mano, per la generosità del cuore, per la riverenza voluta a' divini Sacrificii ne' Templij, e per la maestà d'ogni sua parte; che non è grande, per quella vastità di Dominio e per quella potenza d'Armi, che l'agguagliano a' Rè più celebri degli Annali antichi [...]» (per l'intera lettera, ristampata in parte da Bernini 1713, p. 144 sg., si veda Oliva 1681, II, p. 71 sg., e Baldinucci 1948, p. 125 sg.).

[103] Sulle medaglie, si veda *Bernini in Vaticano* 1981, p. 308 sg.

[104] «Virtus in astra tendit» (Seneca, *Hercules oetaeus*, riga 1971); si veda Lavin 1994, p. 282 sg.

[105] Mirot 1904, p. 218 n.; le osservazioni di Bernini sono riportate in una lettera inviata da Parigi a Roma il 26 giugno dal suo assistente Mattia de' Rossi.

[106] Lavin 1994, p. 255 sg.

[107] Inutile sottolineare quanto la duplice terminologia presente nel titolo risulti pertinente al nostro assunto. Su Saavedra si veda il capitolo relativo in Bireley 1990, pp. 188-216. Il frontespizio, disegnato da Erasmus Quellin, fu notato e riprodotto da Judson e van de Velde 1978, p. 239 n. 7, fig. 188. Bernini poté ben conoscere Saavedra, il quale visse a Roma parecchi anni, fino al 1633, come diplomatico della legazione spagnola.

[108] A Bernini, peraltro, dovettero essere certamente noti sia la versione del tempio erculeo della Virtù e dell'Onore fornita da Federico Zuccaro nella propria dimora romana, dove tale allegoria

risulta riferita all'artista medesimo (Lavin 1994, p. 255, fig. 211), sia il motto *sic itur ad astra* quale risulta inscritto da Giambologna nel gruppo «equestre» di Ercole e Nesso (*ibid.*, p. 281, fig. 230).

[109] È interessante, oltre che importante, sottolineare come il cosciente sforzo di Bernini di immettere in ritratti come quello di Luigi, oltre la somiglianza, «quello che deve essere nelle teste degli eroi», fosse in lui strettamente legato al suo stesso metodo di lavoro: come si è visto, infatti (cfr. p. 24 sg.), dopo aver studiato accuratamente il soggetto in azione, egli lavorava quasi sempre di fantasia, guardando solo saltuariamente ai suoi disegni e invece piuttosto all'intima «idea» che si era formato del sovrano: «...jusqu'ici il avait presque toujours travaillé d'imagination, et qu'il n'avait regardé que rarement les dessins qu'il a; qu'il ne regardait principalement que là dedans, montrant son front, où il a dit qu'était l'idée de Sa Majesté; que autrement il n'aurait fait qu'une copie au lieu d'un original, mais que cela lui donnait une peine extrême et que le roi, lui demandant son portrait, ne pouvait pas lui commander rien de plus pénible: qu'il tâcherait que ce fût le moins mauvais de tous ceux qu'il aura faits; que, dans ces sortes de portraits, il faut, outre la ressemblance, y mettre ce qui doit être dans des têtes de héros» (Chantelou 1885, p. 72 sg., 29 luglio).

[110] La svalutazione moraleggiante dei valori sociali convenzionalmente impliciti nell'ambito della ritrattistica ufficiale trova la sua controparte nella creazione, da parte di Bernini, del ritratto-caricatura del personaggio importante e di nobili natali (si veda Lavin 1990).

Post scriptum: Dopo aver completato questo saggio ho appreso che il tema delle colonne accoppiate è stato studiato, in rapporto con i vari progetti berniniani e la loro influenza, da K. Mösender, *'Aedificata Poesis'. Devisen in der französischen und österreichischen Barockarchitektur*, in «Wiener Jahrbuch für Kunstgeschichte», XXXV, 1982, pp. 158 sgg. (ma seguendo un errore sfortunato rispetto all'origine e data dell'immagine di Menestrier; cfr. Lavin 1994, p. 319, n. 90), e F. Polleross, *Architecture and Rhetoric in the Work of Johann Bernhard Fischer von Erlach*, in M. Reinhart, a cura di, *Infinite Boundaries: Order, Disorder, and Reorder in Early Modern German Culture*, Kirksville, MO, 1998, pp. 130 sgg.

Appendice
Documenti e fonti sui ritratti di Francesco I d'Este
di Gian Lorenzo Bernini
a cura di Giorgia Mancini

Premessa

Sono state adottate le consuete norme di edizione, assicurando il massimo rispetto possibile dell'originale: ovviamente sono state modernizzate le maiuscole, la punteggiatura, le divisioni tra le parole. Sono state mantenute le abbreviazioni S.A. (Sua Altezza), Ser.mo (Serenissimo), s.r e s.ra (signor, signora), V.A. e V.Alt.za (Vostra Altezza), V.Em.za (Vostra Eminenza); per consentire un'agevole lettura si è deciso di sciogliere tutte le restanti abbreviazioni. Sono state riportate in corsivo le parole di lettura incerta. Sono state indicate le eventuali citazioni (cit.), edizioni (ed.) o edizioni parziali (ed. parz.) e regesti (reg.) precedenti.

Devo un sincero ringraziamento a Claudia Cremonini, il cui appoggio è stato indispensabile per la realizzazione di questo lavoro; sono inoltre grata a Mario Bertoni per la revisione delle trascrizioni, a Marco Folin per gli utili suggerimenti, ad Angelo Spaggiari, Paolo Terzi e Giuseppe Trenti per la cortese disponibilità offertami nel corso della ricerca.

Abbreviazioni

A.S.M.   Archivio di Stato di Modena:
  CS   Archivio Segreto Estense, Casa e Stato, Carteggio principi Estensi
  AR   Cancelleria Ducale, Ambasciatori Roma
  Am. Pr.   Camera Ducale, Amministrazione dei Principi
  A. mat.   Cancelleria Ducale, Archivio per materie, Arti belle, Architetti
  Cart. Ref. Cancelleria Ducale, Carteggio Referendari

A.S.R.   Archivio di Stato di Roma

1. Il busto

Riassunto

Nel luglio del 1650 Geminiano Poggi, segretario di Francesco I d'Este duca di Modena, scrisse una lettera al cardinal Rinaldo d'Este informandolo che il principe desiderava farsi ritrarre dallo scultore Gian Lorenzo Bernini, e che a questo scopo avrebbe inviato un ritratto di profilo eseguito da Justus Sustermans, pittore fiammingo ospite della corte estense in quel periodo. Lo scultore avrebbe impiegato come modello anche un altro ritratto che era già presso il cardinale a Roma. Oltre ad informarsi sui tempi e sui prezzi della scultura, Rinaldo avrebbe dovuto trovare un valente intagliatore in grado di preparare un conio per una medaglia con l'effigie del fratello Francesco [1]. Siccome a Bernini non si potevano imporre né tempi, né prezzi, e solo con una ricompensa generosa si sarebbe ottenuta l'opera, il cardinale pensò di rivolgersi ad Alessandro Algardi, che avrebbe consegnato il busto entro un mese e mezzo, chiedendo 150 scudi [4, 5].

Il duca pensava di far scolpire, oltre al proprio, anche un ritratto del fratello, a cui lasciava la scelta tra i due scultori. Nel caso che Bernini non si fosse accontentato di un regalo di cento doppie, l'incarico sarebbbe stato affidato ad Algardi [6]. Alla fine di luglio del 1650 da Modena fu inviato il dipinto di Sustermans [7, 8].

Il 3 agosto 1650 Rinaldo scriveva a Francesco che Bernini avrebbe accettato la commissione, nonostante avesse fatto un voto di non impegnarsi nell'esecuzione di ritratti da modelli dipinti; gli occorreva però un'immagine frontale del duca: per il scolpire il ritratto del re d'Inghilterra si era servito infatti di «tre maniere di postura, in profilo, in faccia e d'un altra partecipante d'ambidua quelle» [10]. Sustermans era ripartito per Firenze, e non si sapeva come accontentare la richiesta dello scultore [13].

Il 20 agosto 1650 il cardinale vide il busto iniziato da Bernini, e scrisse al fratello che per non eccedere nella spesa sarebbe stato meglio abbandonare l'idea di commissionare il proprio ritratto [15]. Lo stesso giorno il duca lo informò che avrebbe fatto disegnare al suo pittore francese Jean Boulanger il terzo ritratto [16], e il 27 agosto rispondeva che se un regalo di mille ducatoni fosse stato sufficiente, avrebbe desiderato anche il busto del cardinale [18].

Il 3 settembre 1650 Rinaldo informava il duca delle difficoltà dell'artista di scolpire una statua partendo da immagini bidimensionali, e sul regalo ancora non sapeva cosa fosse adatto; richiedeva inoltre le misure della statura e della larghezza delle spalle [20].

Il 9 novembre 1650 la scultura era ancora in lavorazione, e per fare il conio bisognava attendere che fosse terminata [23]. Il 23 novembre 1650 il cardinale scrisse al fratello suggerendogli che una credenza d'argento tedesca del valore di 700 o 800 scudi avrebbe potuto essere una ricompensa adatta per Bernini [25]. Francesco I s'informò per tale acquisto in Germania, e stimatolo poco conveniente pensò che avrebbe inviato una somma di denaro affinché Rinaldo comprasse un regalo [30].

L'8 luglio 1651 Francesco Gualengo, residente ducale a Roma, scriveva al duca che il papa aveva regalato al Bernini tremila scudi per la fontana dei Fiumi di piazza Navona [32].

Alla fine di giugno del 1651 il cardinale rientrò a Modena; rimase a Roma a seguire le ultime fasi del lavoro dello scultore l'agente Giovan Battista Ruggeri, che il

16 settembre 1651 scrisse che la statua era terminata, e sarebbe stata sistemata in una cassa e affidata a un servitore dell'artista che l'avrebbe vigilata attentamente durante il trasporto [35].

Il 22 settembre 1651 Rinaldo informava il fratello che il busto era pronto, e che aveva inviato istruzioni ad Agostino Luco, amministratore delle sue finanze in Roma, perché fornisse il denaro necessario per il viaggio [36]. Il 30 settembre 1651 Ruggeri scriveva al cardinale che alla scultura mancava solo un po' di lavoro intorno al piedistallo, e che Bernini aveva detto di non voler più scolpire ritratti usando come modello immagini dipinte [38]. Molte persone curiose di ammirare il ritratto del duca di Modena si recarono nello studio dello scultore, che qualche giorno prima del 18 ottobre visitò Ruggeri per informarlo che la scultura era pronta per essere spedita. L'agente, conducendo l'ospite verso una finestra del palazzo che affacciava su piazza Navona, gli chiese se fosse stato più generoso Urbano VIII per la tribuna di San Pietro o Innocenzo X per la fontana dei Fiumi; la risposta fu che il secondo aveva superato il primo, donandogli tremila scudi e un canonicato per il fratello. Ruggeri aveva visto la «machina» fatta a forma di una piccola lettiga, coperta di tela cerata, e la statua accomodata in un cassa protetta da un materasso [39, 40, 41].

Il 20 ottobre 1651 Bernini scrisse due lettere a Francesco I e al cardinal Rinaldo, nelle quali pregava di scusarlo se il ritratto non era riuscito verosimigliante, considerate le difficoltà che aveva incontrato nella sua realizzazione, per non aver «mai visto il naturale» [42, 43].

La partenza del busto dovette essere rinviata di un paio di settimane: i muli di Bernia, corriere abituale di Rinaldo, non si prestavano certo al trasporto di un carico che superava le mille libbre di peso [45, 46, 47, 48, 49].

Il 2 novembre 1651 il carrozziere Giuseppe Montese s'incamminava alla volta di Modena alla guida del suo carro tirato da quattro cavalli; lo accompagnava Cosimo Scarlatti, servitore di Bernini, incaricato di sorvegliare la cassa contenente la statua. Prima della partenza i due, assieme ad Agostino Luco, si erano recati dal notaio Carlo Vipera, alla presenza del quale Montese si era impegnato ad effettuare il trasporto, ricevendo un acconto di quaranta scudi da Luco; alla fine del viaggio ne avrebbe ricevuti altri quaranta [50, 51].

L'8 novembre 1651 il residente a Roma inviava al duca una lettera dello scultore indirizzata a Scarlatti, raccomandandosi che questi la leggesse prima di aprire la cassa contenente il busto [55].

Il ritratto in marmo di Francesco I giunse a destinazione il 17 novembre 1651, come scrisse il segretario Girolamo Graziani a Gualengo: il duca ne rimase assai soddisfatto, e ordinò che l'artista venisse informato del successo ottenuto [56, 59]. Il 29 novembre 1651 Ruggeri scriveva a Rinaldo di aver appreso con gioia la notizia dell'arrivo della scultura a Modena, e di aver consegnato una lettera a Bernini, il quale con modestia attribuiva alla fortuna, più che al merito, il fatto di aver accontentato i committenti [61].

Il 9 dicembre 1651 Scarlatti rientrò a Roma, portando a Gualengo una polizza di tremila scudi, ricompensa per lo scultore, che rimase stupito della generosità del principe. Egli non desiderava che con quel denaro fossero acquistate gioie o argenti, dal momento che ne possedeva a sufficienza [65, 67, 69]. Il residente a Roma scriveva che il regalo fatto all'artista non era «solo in se stesso magnifico, ma anche tanto più riguardevole» perché uguale a quello ricevuto dal papa per la fontana di piazza Navona [68].

Il 13 dicembre 1651 Bernini rispose alla lettera del duca ringraziandolo con parole cortesi per avergli affidato l'incarico di scolpire la sua effigie [70]. Un mese dopo lo stesso scrisse al cardinale di aver ricevuto la lettera di cambio di tremila scudi, e di essergli profondamente grato per avergli consentito di servirlo, e di averlo spronato durante il lavoro [76]. Il 7 febbraio 1652 Gualengo scrisse a Francesco I che Agostino Luco aveva provveduto a pagare i tremila scudi allo scultore [79].

Il ritratto in marmo del duca di Modena suscitò grande ammirazione e curiosità, e non solo in ambito locale: il 26 luglio 1652 Paolo Giordano Orsini scrivendo una lettera a Cristina di Svezia raccontava che Bernini, dopo aver lavorato alla fontana di piazza Navona, aveva scolpito il busto del principe estense ricavando l'immagine da un ritratto dipinto, ottenendo risultati eccellenti [80]. Nel novembre del 1655 Leopoldo granduca di Toscana chiedeva uno schizzo della scultura, e Geminiano Poggi, dopo averne chiesto il permesso, glielo inviò [82].

Documenti

1650

1. [Modena, luglio]. Geminiano Poggi al cardinal Rinaldo a Roma

Sono di già perfezionati tutt'i ritratti fatti dal s.r Giusto, l'ultimo è stato quello che rappresenta in profilo dentro di un ovato il Ser.mo s.r Duca armato, ch'è riuscito conforme gli altri d'isquisita somiglianza, e di maniera ottima. Sua Alt.za desidererebbe di haverne la statua di marmo, cioè tutto quello che rappresenta la medesima pittura, figurandosi qui che stante l'isquisita somiglianza della pittura, aggiuntovi l'altro ritratto pure del s.r Duca, che sta presso V.Alt.za, possa il s.r Bernini haver bastante norma e modello per formar la statua a tutta perfezione. Si desidera inoltre che sia formato da un artefice eccellentissimo un cuneo del medesimo ritratto in profilo che serva per istampare medaglie. Dell'una, e l'altra opera si attenderà che V.A. si compiaccia di far pigliare informazione del prezzo senza impegnarsi e del tempo che vi correrà al totale compimento et havvisarne. Havutosi detto ragguaglio si manderà il ritratto, e si attenderà poi che sia rimandato a suo tempo.

(A. mat, 9/1; ed. Fraschetti 1902, n. 2, p. 110; ed. parz. Montagu 1985, n. 2, p. 258; ed. parz.Tratz 1988, n. 443, p. 465)

2. Modena, luglio 8. Francesco I al cardinal Rinaldo a Roma

[...] Scrissi anche a V.Em.za intorno al mio ritratto in profilo, e del cuneo, e della statua da farsi dal Bernino, e starò attendendo risposta [...]

(CS, 106; ed. Fraschetti 1900, p. 221, n. 1; Wittkower 1955, p. 213; reg. Montagu 1985, n. 2, p. 258)

3. Roma, luglio 16. Cardinal Rinaldo a Francesco I a Modena

[...] Viddi ieri dall'Algardi il ritratto della s.ra donna Olimpia in marmo et mi parve assai ben fatto sopra le commissioni di V.A. scrivo in un'altra lettera [...]

(CS, 236; reg. Montagu 1985, n. 2, p. 258)

4. Roma, luglio 16. Cardinal Rinaldo a Francesco I a Modena

[...] Mando a V.A. un'informatione di quelli operarij che potrebbero obedire a' di lei commandi, de quali il Moro intagliatore di medaglie è quello che io con vive instanze procurai di mandarlo costà, né mi fu possibile l'ottenerlo.

Al cavaliere Bernino, il quale non opera che a favore d'amici, o instanza di gran personaggio, non si può prescriver né tempo, né prezzo; quello ben si sollicitar col frequente ricordarlo, questo col bastantemente remunerarlo si può adempire [...]

(CS, 236; ed. Crespellani 1893, pp 12,105; ed. parz. Fraschetti 1900, p. 221; reg. Montagu 1985, n. 2, p. 258)

5. Roma, luglio 16. Allegato alla lettera del cardinal Rinaldo a Francesco I a Modena **[4]**

Il cavaliere Algardi scultore si fa pagare i ritratti di marmo intendendo di busto o mezza figura centocinquanta scudi l'uno, oltre il marmo, che segli dà, o segli paga.

Ne daria uno compito per tutto il mese prossimo d'agosto, quando dovesse farlo, e potrà cavar e formar il luto dalla pittura, e lo perfezionarà in presenza di chi dovrà sodisfarli, per farlo poi più esattamente in marmo.

Ha due altre persone sotto di sé di condizione inferiore nel mestiere, da' quali s'haverebbe l'opra per la metà del sudetto prezo, e forse meno.

Il Moro intagliatore di medaglie pretende dell'instrumento da fabbricarne in forma e grandezza d'una piastra e meza fiorentina cento scudi per sua mercede, e quando se ne volessero di più piccole pretenderebbe a proporzione della grandezza e del predetto prezo. Non vuole meno di due mesi di tempo a far il maggiore, e suppone che il rovescio dell'impronta o medaglia non porti manifatura istraordinaria, che quando ci volessero molte figure non si restringerebbe a detto prezzo.

Dice di non poter cavarlo dalla pittura mentre questa non sia in profilo.

(A. mat, 17/1; ed. parz. Montagu 1985, n. 3, p. 259; cit. Southorn 1988, n. 49, p. 158; ed. parz. Tratz 1988, n. 459, p. 466)

6. Modena, luglio 22. Francesco I al cardinal Rinaldo a Roma

[...] Veggo quel che V.Em.za mi scrive intorno alle statue di marmo cioè di busto, o mezza figura, e ne vorrei due, una cioè che rappresentasse V.Em.za, e l'altra me, e se ella credesse che per lo cavaliere Bernino potesse bastare un regalo di cento doble, havrei gusto ch'egli ne facesse una, e che l'altra fosse fatta dal cavaliere Algardi, dichiarandomi di havere il gusto indifferente che il Bernino faccia la mia statua o quella di V.Em.za.

Se poi ella credesse che il regalo di cento doble non fosse bastante, e che fosse meglio di lasciar stare il sudetto Bernino, io mi appagherò che l'Algardi faccia l'una e l'altra statua, soggiungendo a V.Em.za che quanto alla sollecitudine di haverle, io non ci havrò fretta alcuna, premendo più che siano ben fatte, che haverle presto.

Manderò a V.Em.za il mio ritratto in profilo per l'ordinario seguente, acciochè possa valersene per tale effetto.

Desidero anche che V.Em.za faccia fare dal Moro intagliatore l'instrumento per la mia medaglia in forma e grandezza d'una piastra e mezza fiorentina, stimando che questa sia forma competente, o in altra che paresse migliore a V.Em.za per simili medaglie, avvertendo che sia veramente bello e lavorato con diligenza, e quanto al rovescio io le aviserò poi il mio pensiero, e non sarà cosa di fattura se non ordinaria.

(CS, 106; ed. Crespellani, pp. 12, 105-6; ed. parz. Fraschetti 1900, p. 221, n. 3; ed. Munoz 1920, p. 289; reg. Montagu 1985, n. 2, p. 258)

7. Modena, luglio 27. Nota allegata ad una lettera di Francesco I al cardinal Rinaldo a Roma

Per l'ordinario seguente si manderà il quadro del ritratto di S.Alt.za in profilo, acciò che quanto prima si possa dar principio all'opere che si desiderano [...]

(CS, 106; cit. Venturi 1883, n. 5, p. 212; reg. Montagu 1985, n. 2, p. 258)

8. Modena, luglio 27. Geminiano Poggi al cardinal Rinaldo a Roma

Martedì prossimo passato il s.r Duca nel partirsi di qui per Sassuolo m'ordinò d'inviare a V.Alt.za col presente ordinario il ritratto di Sua Alt.za in profilo, si come faccio, chiuso in una scattola ove dal pittore è stato rassettato con ogni possibile diligenza [...]

(A. mat, 18; inedito)

9. Roma, luglio 30. Cardinal Rinaldo a Francesco I a Modena

[...] Dal cavalier Bernino tutto impegnato nella fabrica di tal fontana ad instanza di donna Olympia non ne havranno forse l'opra desiderata i di lei commandi al quale però ne farò muover discorso, e conforme le risposte avisarò V.A. la quale prego a sollicitare l'inviamento del suo ritratto in profilo [...] Spero che il Bernino sia per *servire* a V.A. et io attenderò il ritratto con grandissima impacienza [...]

(CS, 236; reg. Montagu 1985, n. 2, p. 258)

10. Roma, agosto 3. Cardinal Rinaldo a Francesco I a Modena

[...] Ho parlato al Bernino, il quale mi ha risposto che non ostante un voto solenne da esso fatto di non impiegarsi in tal opra per la partial cura che vi si richiede, è dispostissimo di servire V.A., della quale ne desidera l'imagine in faccia, havendoli mandato il re d'Inghilterra, che volle tal fattura, tre maniere di postura in profilo, in faccia, et un'altra partecipante d'ambidua quelle. Può quella esser da qualsivoglia mastro dipinta, non essendo necessarij al proprio intento del cavaliere i colori. Non ardirei consignare alla squisitezza di tal scalpello altri che l'imagine di V.A. [...]

(CS, 236; reg. Montagu 1985, n. 2, p. 258)

11. Roma, agosto 3. Cardinal Rinaldo a Francesco I a Modena

[...] Soggiungo d'haver parlato al cavaliere Bernino, e dispostolo a servir V.A. e lo fa con particolare premura d'incontrar la mia. Ho due ritratti di V.A. uno in profilo che hora m'è arrivato, l'altro, che mi venne li mesi passati. Questi basterebbero all'effetto desiderato, ma parmi che il cavalier ne brami un altro posto tutto in faccia, per rendersi più facile il buon successo. Io non credo fosse necessario colorirlo, ma si può farlo per lo meglio. Non era dovuto all'arte di scalpello tanto perito altri, che l'imagine di V.A. [...]

(CS, 236; reg. Montagu 1985, n. 2, pp. 258-259; ed. parz. Tratz 1988, n. 444, p. 465)

12. Roma, agosto 10. Cardinal Rinaldo a Francesco I a Modena

[...] il Bernino attende il disegno in faccia et sarà da me per aggiustar l'opera, dovendo con il medesimo *concertare* avanti li dui lavori comandatimi da V.A. [...]

(CS, 236; ed. parz. Tratz 1988, n. 445, p. 465)

13. Sassuolo, agosto 10. Francesco I al cardinal Rinaldo a Roma

[...] In proposito de ritratti è necessario che si vagliano di quei che hanno costì, poiche io non ne ho altro. Giusto è partito, e sarebbe troppa briga il farlo ritornare adesso, et a farci metter le mani da qualche altro non si faria cosa buona [...]

(CS 106; reg. Fraschetti 1900, p. 222; reg. Montagu 1985, n. 2, p. 259; ed. Tratz 1988, n. 446, p. 465)

14. Roma, agosto 17. Cardinal Rinaldo a Francesco I a Modena

Intendo quali difficoltà impediscano il mandare il terzo ritratto di V.A., a prometter il quale al cavaliere Bernino io m'era indotto, perché quasi impossibile all'istesso io giudicava l'operar in conformità di questi duoi soli, massime che necessaria a tal fatto non ho supposto la mano del Giusto, desiderando poi più la relatione delle misure che l'ornamento de colori. Non si partano i miei da sentimenti di V.A. che per vederla più puntualmente servita, il che sarà da me del pari procurato quando nulla si mandi ma non fosse ugualmente ottenuto [...]

(CS, 236; ed. parz. Montagu 1985, n. 2, p. 259; ed.parz. Tratz 1988, n. 447, p. 465)

15. Roma, agosto 20. Cardinal Rinaldo a Francesco I a Modena

[...] Hoggi ho veduto il ritratto di V.A. cominciato dal Bernino, et spero che rieschi isquisitamente, et vero similissimo alla pittura; dubito che il giudizio mio in estimarlo non rieschi conforme all'intenzioni dell'artefice et crederei ch'ella possa lasciare di far fare il mio, et applicar solamente a questo, mentre non vogli eccedere nella spesa [...]

(CS, 236; ed. parz. Fraschetti 1900, p. 222; ed. parz. Tratz 1988, n. 452, p. 465)

16. Modena, agosto 20. Francesco I al cardinal Rinaldo a Roma

[...] Vedrò di far fare un disegno in faccia al mio pittor francese e se riuscirà simile lo mandarò, acciò il Bernino se ne possa servire; in altra maniera non saprei come mi fare perche certo colorito non riuscirà [...]

(CS, 106; reg. Fraschetti 1900, p. 222; reg. Montagu 1985, n. 2, p. 259; ed. parz. Tratz 1988, n. 448, p. 465)

17. Roma, agosto 27. Cardinal Rinaldo a Francesco I a Modena

[...] Non ho havuto tempo di ritornar dal Bernino, e non posso dire di più del ritratto di quello ho scritto. S'arriverà l'altro disegno fatto dal francese non potrà esser che a proposito poiché quello non se ne valerà se non tanto quanto troverà che confronti con gli altri di Giusto [...]

(CS, 236; ed. parz. Tratz 1988, n. 449, p. 465)

18. Modena, agosto 27. Francesco I al cardinal Rinaldo a Roma

Circa li ritratti del Bernino quando V.ra Em.za creda che un regalo di mille ducatoni possi restar contentissimo, io li vorrei tutti due, ma veramente col far restar contento il Bernino penso di conservarmi il credito di stimar la virtù et i virtuosi.

(CS, 106; ed. parz. Fraschetti 1900, p. 223)

19. Roma, agosto 31. Cardinal Rinaldo a Francesco I a Modena

[...] Il Bernini tira avanti il ritratto di V.A., e lo fa con grandissimo gusto [...]

(CS, 236; inedito)

20. Roma, settembre 3. Cardinal Rinaldo a Francesco I a Modena

[...] Il Bernini tira avanti il ritratto di V.A. con gran franchezza, ma non si può credere la difficoltà di cavare da pitture non egualmente disegnate un rilievo; proporrò a V.A. quando havrò maggiore lume con che potrà egli restar sodisfatto: qualche gioia è anche addatta al sudetto e il Re d'Inghilterra gli donò un bellissimo diamante. Non occorre più l'altro disegno, se non è partito, ben si decidraria la statura di

V.A., et la larghezza delle spalle [...]

(CS, 237; ed.parz. Fraschetti 1900, p. 222; reg. Wittkower 1955, p. 214; ed. parz. Tratz 1988, nn. 450, 453, 457, pp. 465-466)

21. Modena, settembre 10. Francesco I al cardinal Rinaldo a Roma

[...] Mando a V.Em.za qui acclusa la misura della mia statura, e la larghezza delle spalle in conformità di quanto ella mi hà motivato [...]

(CS, 106; ed. Tratz 1988, n. 451, p. 465)

22. Roma, settembre 21. Cardinal Rinaldo a Francesco I a Modena

[...] S'affatica il cavaliere Bernini a ridurre a fine l'opera sua, e lo fa tanto cordialmente, che ben dà inditij di una volontà inclinatissima al servitio di V.A. Spero che s'incontreranno le di lei sodisfationi, et in ciò che ne riesce obligato alle proportioni, come del volto, et in ciò che si concede libero a' capricij dell'arte, come delle vesti, e del capello. Io non cesso d'assistere diligentemente, ma sopra ogni pretensione della mia sopraintendenza solecita il cavaliere l'adempimento di ciò che desidera V.A. [...]

(CS, 237; ed. Fraschetti 1900, p. 222, n. 4; ed. parz. Tratz 1988, n. 455, p. 466)

23. Roma, novembre 9. Cardinal Rinaldo a Francesco I a Modena

[...] Per far la medaglia è stato necessario di attendere che sia fatta la statua, la quale dipende dall'arbitrio del cavaliere Bernino; questo opera da sé, et vi vuole destrezza nel sollecitarlo. È qualche tempo ch'io non lo vedeva, poiche difficilmente si trova in casa. Il cunio che doveva esser pronto per comandarsi è stato finito malamente [...]

(CS, 237; cit. Tratz 1988, n. 454, p. 465)

24. Modena, novembre 16. Francesco I al cardinal Rinaldo a Roma

Se senza disgustar il Bernini si potesse far haver adesso al mastro de cunei il mio ritratto, accioché potesse far la medaglia io l'havrei molto a caro, premendomi di haver più presto essa medaglia, che la statua, la quale potrebbe poi finire il Bernini con maggior comodità. [...]

(A. mat, 9/1; reg. Fraschetti 1900, p. 222)

25. Roma, novembre 23. Cardinal Rinaldo a Francesco I a Modena

[...] Si darà principio a fare il cuneo, et mi pare che la grandezza fosse la metà più d'uno scudo. Stimerei che V.A. potesse donare al Bernino per la statua sua una di quelle piccole credenze d'Alemagna, che possano importarci da circa 7 in 800 scudi. Egli è così occupato che non si può assicurare grandemente del lavoro suo; quello di Piazza Navona gli dà gran travaglio, presto dipende tutto dalla sua assistenza [...]

(CS, 237; ed.parz. Crespellani 1893, p. 106; ed. parz. Fraschetti 1900, p. 222; cit. Tratz 1988, n. 454, p. 465)

26. Roma, novembre 26. Cardinal Rinaldo a Francesco I a Modena

[...] Il Bernino non vuole che si faccia per qualche giorno il cuneo, et stima che lasci la grandezza d'una piastra. Attenderò ogni altro comandamento di V.A. [...]

(CS, 237; ed. parz. Crespellani 1893, p. 12; cit. Tratz 1988, n. 454, p. 465)

27. Roma, dicembre 3. Cardinal Rinaldo a Francesco I a Modena

[...] Al cuneo non s'è dato principio per rispetto al Bernino [...]

(CS, 237; ed. Crespellani, p. 12; ed. Fraschetti 1900, p. 222; cit. Tratz 1988, n. 454, p. 465)

28. Modena, dicembre 7. Francesco I al cardinal Rinaldo a Roma

[...] Quando piacerà al Bernino si farà il cuneo, et uno di questi altri ordinari manderò il rovescio della medaglia [...]

(CS, 107; ed. parz. Fraschetti 1900, p. 222)

1651

29. Roma, gennaio 7. Cardinal Rinaldo a Francesco I a Modena

[...] sollecito il Bernini continuamente. La statua sarà a buon camino, et io non gli la leverò sino al regalo di V.A. [...]

(CS, 237; reg. Fraschetti 1900, p. 222; reg. Wittkower 1955, p. 214)

30. Modena, marzo 8. Francesco I al cardinal Rinaldo a Roma

Scrissi in Alemagna, come significai a V.Em.za per havere quella credenza di argenti da donare al cavaliere Bernino, ma s'incontrano colà tante difficoltà per l'esorbitanza della condotta e delle fatture con cui pretendono di far pagar la robba assai più cara di quel che vale, che vò pensando esser meglio ch'io rimetta in Roma il dinaro destinato a spendere in tale occorrenza, com'ella sa, e che V.Em.za con esso comperi costì quello che giudicherà essere a proposito per regalarne il cavaliere sudetto.

Mi sarà però caro d'intendere anche in ciò i sentimenti di V.Em.za [...]

(A. mat., 9/1; reg. Fraschetti 1900, pp. 222-223)

31. Roma, aprile 24. Cardinal Rinaldo a Francesco I a Modena

[...] Vidi la statua di V.A. che il Bernino fa con grandissima applicatione, ma è grandemente diverso, restai affatto contento nel vederla così, et certo creda ch'è un huomo insigne in tutte le professioni, che s'è posto [...]

(CS, 238; inedito)

32. Roma, luglio 8. Francesco Gualengo a Francesco I a Modena

[...] Si è poi verificato che il Papa ha regalato il cavalier Bernini di 3 mila scudi per l'opera che ha fatto nella fontana di Navona [...]

(AR, 252; inedito)

33. Roma, agosto 2. Giovanni Battista Ruggeri al cardinal Rinaldo a Reggio Emilia

[...] Sono stato dal cavaliere Bernini, et è venuto in mia compagnia il sig.r Agostino, che mi è stato carissimo, passando tra di loro gran domestichezza; le ho esposto in quel miglior modo a me possibile i sensi di V.A., tanto dell'affetto, quanto della stima che fa del suo merito, ma perche egli è occupatissimo, e lontano dalle cerimonie ha troncato e fattomi instanza si venga al negozio; ha però mostrato di far gran stima del s.r Duca Ser.mo, e di V.A., mostrandosi desideroso di servire all'uno et all'altro.

In proposito della statua dice lavorarvi frequentemente, e che non vede l'hora che sia fornita, ma con tutte le diligenze usate per sapere il quando sarà perfezzionata, non è stato possibile cavarne il netto, scusandosi che ben spesso lo sopraggiungono ordini di nuove fatture da Palazzo, che le danno poi occasione di non potere osservare ne anche le sue promesse. É però restato di continuare il lavoro, e quanto prima spedirlo [...]

(AR, 261; inedito)

34. Roma, agosto 5. Agostino Luco al cardinal Rinaldo a Reggio Emilia

[...] s.r conte Ruggieri assieme con il quale sono stato dal s.r cavalier Bernino a sollecitare l'opera ordinatagli da V.A., et ha detto che si come la fà con particolarissimo gusto, così vol farla con applicatione non ordinaria, et a suo modo, et altro come sentirà dal detto s.r conte [...]

(AR, 261; ed. parz. Fraschetti 1900, p. 223)

35. Roma, settembre 16. Giovanni Battista Ruggeri al cardinal Rinaldo a Reggio Emilia

La statua del s.r Duca è fornita, e alla risposta di questa mia sarà di tutta perfezzione da potersi mandare. Il cavaliere Bernini si piglierà la cura di incassarla a suo modo nella maniera che fece un altra che mandò in Inghilterra, e troverà un huomo della professione che l'accompagnerà sino a Modona, e haverà cura di levarla dalla cassa essendo fattura tanto nel viaggio come nel resto, che non è per tutti, tanto egli mi ha detto. Potrà V.A. dare gl'ordini necessarij per tutte le spese che occorreranno [...]

(AR, 261; cit. Venturi 1883, n.1, p. 213)

36. Reggio Emilia, settembre 22. Cardinal Rinaldo a Francesco I a Modena

Ricevo dal conte Ruggieri l'avviso che V.A. si concederà di vedere nell'annesso foglio sopra la statua del cavaliere Bernino: io gli ho mandato ordinario per il Luco acciò soministri il denaro necessario per il viaggio, et che faccia le più belle parole che le sia possibile con lo stesso, poiché certo le merita essendosi sbrigato assai presto [...]

(CS, 238; inedito)

37. Modena, settembre 24. Francesco I al cardinal Rinaldo a Reggio Emilia

[...] Ho letto con gusto che la statua del Bernino fosse per esser quanto prima incassata, e rendo grazia a V.ra Em.za degli ordini dati, et io intanto risolverò la rimessa per lo regalo che si deve fare ritornato che sia da Sassuolo, dove mi fermerò per tutto martedì [...]

(CS, 107; inedito)

38. Roma, settembre 30. Giovanni Battista Ruggeri al cardinal Rinaldo a Reggio Emilia

[...] Sono stato dal cavaliere Bernini, et ho veduto la statua del s.r Duca Ser.mo, la quale si può dire fornita, non restando altro da farsi che un poco di fattura intorno al piedestallo, e siamo restati in questo, che io starò aspettando l'avviso da lui che sia perfettionata per poterla incaminare, et io intanto darò al s.r Agostino l'ordine di V.A. per le spese che occorreranno nella condotta.

Il cavaliere sudetto ha tocco certi punti che stimo necessarij scriverli: che mai più vuole fare ritratti di scultura cavati dalla pittura, essendo cosa laboriosa, e difficile da incontrare, che vi ha consumato nell'opera mesi quattordici.

Era con me il padre comprocuratore di San Calisto, che come quello, che è poco tempo che ha veduto il s.r Duca, e che molto bene conserva nella mente l'effigie del s.r Duca, mi afferma che non si può dare più nel naturale di quello in che ha dato il cavaliere. A me pare cosa bellissima, ma in quanto alla naturalezza, non ne so dar conto, essendo sette anni che non ho veduto S.A. [...]

Mi dicono che il Papa assegnasse una pensione al figlio del cavaliere Bernini di scudi 500, obbligandolo al mantenimento della fontana durante la sua vita, e che ad un suo nipote prete habbi dato un luogo in San Pietro, Altri dicono, che non le sia stato dato cosa alcuna, vedrò di investigare un poco meglio [...]

(AR, 261; ed. parz. Venturi 1883, p. 213; ed. Fraschetti 1900, p. 223, n. 1; reg. Wittkower 1955, p. 215)

39. Roma, ottobre 10. Francesco Gualengo a Francesco I a Modena

[...] Mi disse hieri il Bernini, che V.A. si degnasse di habilitarlo a poter ritener qui ancora per tre giorni la statua dell'A.V. la quale è già compitissima, e molti concorrono a vederla. Certo è una delle più spiritose opere che sia uscita da lo scalpello di lui.

(AR, 252; ed. parz. Fraschetti 1900, p. 223)

40. Roma, ottobre 14. Giovanni Battista Ruggeri al cardinal Rinaldo a Reggio Emilia

[...] a casa del cavaliere Bernini vi è la statione, hieri v'era a vedere la statua il s.r ambasciatore di Firenze col marchese Corti, e così di continuo v'è la frequenza. Non ho sentito da lui altro moto ancora [...]

Mi vien detto per certo che il donativo fatto al cavaliere Bernini di borsa propria del Papa è stato di tre, o quattromila scudi, però farò nove diligenze per sapere il tutto [...]

(AR, 261; ed. parz. Fraschetti 1900, n. 2, p. 223)

41. Roma, ottobre 18. Giovanni Battista Ruggeri al cardinal Rinaldo a Reggio Emilia

Lunedì fu da me il cavaliere Bernini per avisarmi come la statua era incassata et accomodata, che sempre quando si voleva si poteva incaminare al suo viaggio, e perché egli preme assai che sia condotta a salvamento, le ha destinato con suo scomodo uno che ha cura di molte cose di casa sua, che non l'abbandonerà di vista in tutto il viaggio; si sarebbe inviata questa mattina, ma il Bernia ha fuori tutti li suoi muli, e gli aspettava hier sera, che riposati che saranno un sol giorno, si manderanno e la statua

Ser.ma Altezza

1651.
20. Ottobre

Bernini Cav.r Gio: Lorenzo

Far che un Marmo bianco pigli la somiglianza
di una Persona, che hà colore, spirito, e Vita,
ancorche sia li presente, che si possa imitare
in tutte le sue parti, e proportioni, è cosa
difficiliss.ma Creder poi di poter farlo somi=
gliare con hauer sol dauanti una Pittura senza
uedere, ne hauer mai uisto il Naturale, è quasi
impossibile, e chi a tale impresa si mette più
temerario che ualente si potrebbe chiamare.
Hanno potuto tanto però uerso di me i Comanda
menti dell'Altezza del sig.r Card.l suo fratello
che mi hanno fatto scordar di queste Verità;
però se io non hò saputo far quello, che è quasi
impossibile, spero V.ra Alt.a mi scusarà, e
gradirà almeno quell'Amore, che forse l'Opera
medesima le rappresentarà. E riuerentem.te
m'inchino all'Altezza Uostra Ser.ma Di Roma li 20. 8bre
1651
D. V.ra Altezza Ser.ma

Humiliss.mo seruo
Gio: Lorenzo Bernini

1. Lettera di Bernini a Francesco I del 20 ottobre 1651, Modena, Archivio di Stato, A.mat., 9/1.

2

3

2. Leonardo da Vinci, *Studio di tre teste*, disegno, Torino, Biblioteca Reale.

3. Lorenzo Lotto, *Triplice ritratto*, Vienna, Kunsthistorisches Museum.

Anton van Dyck, *Triplice ritratto di Carlo I*, Windsor Castle, collezioni reali.

5

5. Anton van Dyck, *La regina Enrichetta Maria*, Memphis, Brooks Memorial Art Museum.

6

6. Anton van Dyck, *La regina Enrichetta Maria*, Windsor Castle, collezioni reali.

7

7. Anton van Dyck, *La regina Enrichetta Maria*, Windsor Castle, collezioni reali.

8

8. Gian Lorenzo Bernini, *Il cardinale Richelieu*, Parigi, Musée du Louvre.

9

9. Philippe de Champaigne, *Triplice ritratto di Richelieu*, Londra, National Gallery.

10

10. Attribuito a Robert van Voerst, *Carlo I*, incisione, Londra, British Museum.

11

11. Thomas Adey (?), *Carlo I*, Windsor Castle, collezioni reali.

12

12. Louis-François Roubiliac (?), *Carlo I*, Londra, Courtauld Institute Galleries.

13. Gian Lorenzo Bernini, *Busto di Francesco I d'Este*, Modena, Galleria Estense.

4. Gian Lorenzo Bernini, *Busto di Luigi XIV*, Versailles, Musée National du Château et de Trianon.

15. Gian Lorenzo Bernini, *Monumento equestre di Luigi XIV* (modificato da Giraudon come *Marcus Curtius*), Versailles, Musée National du Château et de Trianon.

16

16　Alessandro Algardi, *Busto di Lelio Frangipane*, Roma, chiesa di San Marcello.

17. Sarcofago romano con ritratti a busto davanti a un *parapetasma* sostenuto da geni alati, Pisa, Camposanto.

18

18. Gian Lorenzo Bernini, *Cenotafio di Suor Maria Raggi*, Roma, chiesa di Santa Maria sopra Minerva.

19. *Il busto di Francesco I d'Este di Bernini*, incisione (da Gamberti, 1659, frontespizio).

20. *Catafalco di Francesco I d'Este*,
incisione, particolare
(da Gambertı, 1659, di fronte
a p. 190).

20

21. *Helios*, denario di Vespasiano, Londra,
British Museum.

21

22

22. Giulio Romano, *Alessandro il Grande*, Ginevra, Musée d'Art et d'Histoire.

CONSECRATIO CLAVDII IMPERATORIS

Claudius in Deos relatus.
insana antiquitas?
quæ vel socordiam diuinitate donabat.
Aquila
infamiam rapti Ganimedis hoc modò assumpto conduplicat.
tunc fœda nunc demens.

Sed admiranda artificis præstantia.
& Columnensium Principum faustitas.
qui tantum marmor in Marinensi ditione defossum possident
vtriqs dedecus in gloriam vertunt.
Hinc paribus meritis ambo tolluntur in auras.
Augustus Cælo dignus, & illa Ioue.

23. Giovanni Battista Galestruzzi, *Il Claudio Colonna*, incisione, 1657.

24

24. Medaglia di Luigi XIV, 1663, New York, American Numismatic Society.

BIBLIA SACRA,
CVM
GLOSSA ORDINARIA,

PRIMVM QVIDEM

A STRABO FVLDENSI MONACHO
BENEDICTINO COLLECTA;

Nunc verò nouis Patrum cum Græcorum, tum Latino-
rum explicationibus locupletata,

ET

Poſtilla Nicolai Lirani *Franciſcani, necnon additionibus* Pavli Bvrgensis
Epiſcopi, & Matthiæ Thoringi *replicis;*

Opera et stvdio Theologorvm Dvacensivm.

TOMVS SEXTVS.

*Quid in hac editione præſtitum ſit, vltra omnes alias editiones, etiam illam quàm Pariſienſes
Theologi exhibuerunt, quàm multa loca correcta, reſtituta, ſuppleta, quàm multa
vtiliter adiecta, Præfatio ad Lectorem manifeſtabit.*

ANTVERPIÆ,

Apud Ioannem Keerbergium.

ANNO M. DC. XVII.

CVM GRATIA ET PRIVILEGIO.

25

---

25. Peter Paul Rubens, Emblema di Jan van Keerbergen, incisione (da *Biblia sacra*, 1617).

26

26. Etienne Delaune, Armatura per Enrico II, Parigi, Musée du Louvre.

27

27. Gian Lorenzo Bernini, *Studio per il monumento equestre di Luigi XIV*, disegno, Bassano, Museo Civico.

28

28. Georg Wilhelm Vestner, Medaglia di Carlo VI, 1717, New York, American Numismatic Society.

29. *Allegoria della Pace dei Pirenei*, incisione (da Menestrier, 1660, di fronte a p. 54).

30

30. Antonio Travani, Medaglia di Luigi XIV, Roma, Biblioteca Vaticana.

31. Erasmus Quellinus, *SIC ITUR AD ASTRA*, incisione del frontespizio (da Saavedra
Fajardo 1649).

32

32. Antonio Travani, Medaglia di Luigi XIV. Roma, Biblioteca Vaticana.

33

34

33. Bartolomeo Fenis, *Il Principe e i suoi Virtuosi*, disegno per Gamberti, 1659, incisione dopo p. 466, Modena, Museo Civico di Storia e Arte Medievale.

34. Bartolomeo Fenis, *Il Principe e i suoi Virtuosi*, disegno, particolare, Modena, Museo Civico di Storia e Arte Medievale.

35

35. Anonimo, *Natura morta allegorica con il busto di Francesco I d'Este di Bernini*, Minneapolis, The Minneapolis Institute of Arts.

e tutte le robbe ordinate anco nella sua delli dieci corente. Nel partire che fece il sudetto cavaliere da me lo condussi verso una finestra che risguarda verso Navona, dicendole: «Io qui ben spesso godo la vista della sua bellissima fontana, ma mi dica un poco, chi è stato più generoso, o Urbano per la Tribuna di S. Pietro, o Innocentio per la fontana». Egli prontamente, che Innocentio haveva superato, poiché havendole donato 3 mila scudi, e un canonicato* a suo fratello, che vale mille, stando la qualità de'tempi, e le strettezze del Papa, egli diceva a tutti che il donativo era stato di 4 mila scudi, si che V.A. saprà mò il tutto, havendolo dalla propria bocca di lui senza che egli possi havere applicato al fine della dimanda [...]

Nell'andare hoggi da Mons.r Fagnani ho visitato la machina fatta dal cavalier Bernini per la statua di S.A.: ella è alla forma di una picciola lettica, al di fuori coperta di tela incerato bellissima, e buonissima. La statua è in una cassa bene accomodata, e di fuora va ben coperta di un buonissimo materazzo, si che io ho per impossibile che ella possa pericolare, aggiungendosi la buona guardia di chi la deve accompagnare [...]

(AR, 261; ed. parz. Fraschetti 1900, p. 224)

* in una lettera di D. Claudi del 5 dicembre 1648 si legge : [...] La s.ra donna Olimpia, che haveva dato intentione al cavaliero Bernino del canonicato di S. Giovanni Laterano vacato per morte di un fratello di detto di darlo ad un altro suo fratello; è stato quello destinato ad istanza del s.r cardinale Panzirolo e del s.r cardinale Lanti a Mons.re Fani di che detta s.ra si è doluta con detto Panzirolo [...] (AR, 261; inedito)

42. Roma, ottobre 20. Gian Lorenzo Bernini al cardinal Rinaldo a Reggio Emilia

Ho ubbidito a V.ra Altezza; e questa sola lode io pretendo nel ritratto che di suo comandamento si è da me scolpito del Ser.mo sig.r Duca suo fratello. Ben la supplico a proteggere le difficultà che in tal'opera ho incontrate, afinché le mie fatiche non si riprendano per ardimenti, ma si scusino per ossequij verso la Ser.ma sua casa, e persona [...]

(A. mat., 9/1; ed. Fraschetti 1900, n. 3, p. 223)

43. Roma, ottobre 20. Gian Lorenzo Bernini a Francesco I a Modena

Far che un marmo bianco pigli la somiglianza di una persona, che sia colore, spirito, e vita, ancorché sia lì presente, che si possa imitare in tutte le sue parti, e proportioni, è cosa difficilissima. Creder poi di poter farlo somigliare con haver sol davanti una pittura, senza vedere, né haver mai visto il naturale, è quasi impossibile, e chi a tale impresa si mette più temerario che valente si potrebbe chiamare.

Hanno potuto tanto però verso di me i comandamenti dell'Altezza del sig.r cardinal suo fratello, che mi hanno fatto scordar di queste verità; però se io non ho saputo far quello, che è quasi impossibile, spero V.ra Alt.za mi scusarà, e gradirà almeno quell'amore che forse l'opera medesima le rappresentarà [...]

(A. mat., 9/1; ed. Venturi 1883, p. 213)

44. Roma, ottobre 21. Giovanni Battista Ruggeri al cardinal Rinaldo a Reggio Emilia

[...] Per la statua il s.r Agostino ha l'incombenza, e credo partirà lunedì [...]

(AR, 261; inedito)

45. Roma, ottobre 21. Agostino Luco al cardinal Rinaldo a Reggio Emilia

[...] Il s.r cavalier Bernino ha finita la statua del Ser.mo sig. Duca, che è stata vista con gusto et ammiratione da tutta la corte, et è già in punto di caricarla, che seguirà domani, o posdomani, et io somministrarò tutto il denaro occorrente conforme all'ordine che tengo dell'A.V.S. [...]

(AR, 261; inedito)

46. Roma, ottobre 23. Giovanni Battista Ruggeri a Francesco I a Modena

In conformità degli ordini che tengo dal s.r principe cardinale invio a V.A. la statua fatta dal cavalier Bernini e da lui medesimo accommodata in modo che stimo impossibile possi pericolare, e per maggior sicurezza le manda un suo di casa con ordine espresso di non l'abbandonare di vista sino fornito il viaggio, e consegnata a chi si doverà. Parte dimattina, e spero sia per essere di sodisfatione di V.A.

Per l'ordinario di mercordì aviserò il s.r principe cardinale delli altri particolari in tal proposito.

(AR, 261; inedito)

47. Roma, ottobre 25. Giovanni Battista Ruggeri al cardinal Rinaldo a Reggio Emilia

[...] Pensavo che la statua fosse partita questa mattina, ma intendo che non partirà prima di sabbato. Questo è negotio trattato dal sig.re Agostino, a lui ne lascio la cura, ho però fatto il passaporto, e scritto insieme al s.r Duca Ser.mo, e consegnato il tutto a quello che l'accompagna [...]

(AR, 261; inedito)

48. Roma, ottobre 28. Giovanni Battista Ruggeri al cardinal Rinaldo a Reggio Emilia

[...] Giovedì li 27 partì la statua per Lombardia e mi immagino, che il s.r Agostino che ha aggiustato la condotta le haverà dato parte di quanto occorre [...]

(AR, 261; inedito)

49. Roma, novembre 1. Giovanni Battista al cardinal Rinaldo a Reggio Emilia

[...] Il s.r Agostino disse hier mattina che la statua non era ancora partita, e che la difficultà era per il peso, passando mille libbre, e che allora egli andava dal cavaliere Bernini per vedere cosa restava da farsi. Questo negotio vien maneggiato da lui, e hoggi non l'ho veduto, sì per essere stato a cappella [...]

(AR, 261; inedito)

50. Roma, novembre 2. Spese per il trasporto

Pagati a Gioseppe Montese da Fano carrozziere per condotta da Roma a Modena della statua di marmo del Ser.mo s.r Duca come per instrumento nelli atti del Vipera notaio capitolino al quale scudi 80

Pagati al servitore del cavaliere Bernino per spendere nel viaggio che deve fare per Modena ad accompagnare la statua del sudetto Ser.mo s.r Duca scudi 15

Pagati al s.r cavaliere Bernino per saldo d'un conto di diverse spese da lui fatte in incassare et accomodare la sudetta statua scudi 25.08

(Am. Pr., 1457/B; inedito)

51. Roma, novembre 2. Atto rogato dal notaio Carlo Vipera in cui Giuseppe Montese si obbliga a condurre a Modena il busto

Obligatio pro Ser.mo Domino Francisco Estense Duce Mutine
Die 2 novembris 1651
Iosephus Montese quondam Petri de Fano incola civitatis Lauretane, mihi cogniti tus [...], promisit., atque solemniter obligavit in favore Ser.i Domini Francisci Estencis Ducis Mutine [...] illustre domino Augustino Luco illius procuratore, et me notario presentibus hac est

di condurre e far condurre a un carro di carrozza tirato da 4 cavalli una statua di marmo del ritratto di detto s.r Duca esistente dentro ad una cassa accomodata, et ammagliata con un matarazzo intorno, e portarla a dirittura nella detta città di Modena bene, e diligentemente, e consegniarla in mano alli ministri di detto s.r Duca, e detta condotta farla a tutte spese di esso Gioseppe eccetto delle gabelle quali dovrà pagarle detto s.r Duca perché così.

Et questa promessa detto Gioseppe la fa perché detto s.r Agostino in nome di detto s.r Duca promette pagare al detto Gioseppe presente scudi ottanta moneta di giulij X per scudo, a conto de quali detto Gioseppe hora alla presenza di me notaio et testimonj infrascritti manualmente, et *in contante* ha et riceve dal detto s.r Agostino presente scudi quaranta moneta di giuli X per scudo, quali *a se* tira, e ne fa quietanza in forma, e li altri scudi quaranta detto s.r Agostino alla presenza delli medesimi testimonij e di me notaio li consegnia al s.r Cosimo Scarlatti che dovrà andare in compagnia di detto Gioseppe per consegnargli, e pagarli al detto Gioseppe nel detto viaggio liberamente altrimente.

E mancando detto Gioseppe di condur detta statua come sopra, oltre che vuole poter essere sforzato per l'adempimento del presente instromento consente che detto s.r Cosimo possa pigliar altre bestie, e far ogni altra spesa per far condur detta statua come sopra a tutti danni, spese, et interessi di esso Gioseppe [...]

(A.S.R., 30 Notai capitolini, Ufficio 25, Vipera, 1651 nov.- dic., c. 4; inedito)

52. Roma, novembre 4. Giovanni Battista Ruggeri al cardinal Rinaldo a Reggio Emilia

[...] Finalmente giovedì partì la statua, bene accomodata sopra un carro da carrozza, conforme al parere del cavalier Bernini, et assistenza del s.r Agostino, essendo riuscito in pratica impossibile, che li muli la potessero portare; sarò stato stimato un balordo l'havere scritto per due volte che ella era inviata, ma così mi era dato l'aviso [...]

Il s.r Gualenghi mi fa instanza che io avisi V.A. come sono a presso del cavaliere Bernini due retratti del s.r Duca Ser.mo; uno de quali egli crede sia solito di restare al scultore, in simili casi; serva tutto per ricordo a V.A.

(AR, 261; inedito)

53. Roma, novembre 4. Francesco Gualengo a Francesco I a Modena

[...] il ritratto in marmo di V.A. partì poi finalmente giovedì sera aggiustato in equilibrio sul carro d'una carrozza tirato da 4 cavalli da vettura. Il vetturino si chia-

ma Giuseppe Munese, et il cavalier Bernino lo fa accompagnare da uno de suoi gio-
vani chiamato Cosimo Scarlatti; e fanno la strada di Loreto.

(AR, 252; reg. Fraschetti 1900, p. 224)

54. Roma, novembre 8. Spesa per il trasporto

Pagati al s.r cavaliere Bernino per altre spese da lui fatte in accomodare sopra il
carro la cassa con la statua sudetta scudi 2.60

(Am Pr., 1457/B; inedito)

55. Roma, novembre 8. Francesco Gualengo a Francesco I a Modena

[...] Il cavalier Bernini mi ha mandato l'acclusa che va al giovane il quale conduce costà il ritratto in marmo di V.A. e mi ha incaricato che li sia ricapitata in tutti i
modi prima che apra la machina entro la quale è chiusa [...]

(AR, 252; inedito)

56. Modena, novembre 17. Girolamo Graziani a Francesco Gualengo a Roma

Dopo haver scritto sin qui è arrivato il ritratto di marmo dell'A.S., e prima di
aprir la cassa in cui era rinchiusa ricapitai a Cosimo Scarlatti la lettera inviata da V.S.
Illustrissima. Il ritratto è piaciuto in estremo, e S.A. n'è restata sodisfattissima, essendo stata celebrata da tutti somamente, basta di dire ch'è opera del s.r Bernini, e di
nuovo me le ratifico.
    In questo punto S.A. mi ordina di dirle che V.S. Illustrissima si contenti di andare
dal s.r cavalier Bernini, e di esprimergli la singolare soddisfazione havuta da S.A. nel
vedere il sudetto ritratto, che veramente gli è piacciuto in estremo. Intorno a questo
però scriverò più appieno con le seguenti, stando per partire il corriero.
    Divotissimo et obligatissimo servitore
    Girolamo Gratiani

(Paris, B.N. ms. ital. 2082, fol. 86; cit. Wittkower 1955, p. 215)

57. Roma, novembre 18. Agostino Luco al cardinal Rinaldo a Reggio Emilia

[...] La statua dovrà esser giunta a salvamento, gia che di qua si spedì con tutte
quelle diligenze et accuratezze che si potevano [...]

(Am. Pr., 1464; inedito)

58. Roma, novembre 22. Giovanni Battista Ruggeri al cardinal Rinaldo a Reggio
Emilia

[...] Ho le lettere di V.A. delli 13 e 14 corente e quanto alla statua spero che a quest'hora sia capitata, stando che il cavaliere Bernini ha hauto lettere di Cesena, dove
era arrivata a salvamento. Non farò moto alcuno del ritratto del Ser.mo s.r Duca, ma
aspetterò ordine preciso dall'A.V. [...]

(AR, 261; inedito)

59. Roma, novembre 25. Francesco Gualengo a Francesco I a Modena

[...] Ho rallegrato infinitissimamente il cavalier Bernino con l'aviso che gl'ho dato che il ritratto in marmo era arrivato felicemente e ch'era piacciuto in estremo all'A.V. [...]

(AR, 252; inedito)

60. Roma, novembre 25. Agostino Luco al cardinal Rinaldo a Reggio Emilia

[...] Se V.A. comandarà io gl'inviarò il conto della spesa che è andata in far condurre a Modona la figura di marmo del Ser.mo s.r Duca fatta qui dal cavalier Bernino [...]

(AR, 261; inedito)

61. Roma, novembre 29. Giovanni Battista Ruggeri al cardinal Rinaldo a Reggio Emilia

Sento dalla lettera di V.A. delli 21 l'arrivo della statua a salvamento e ne godo in estremo, come fa il cavaliere Bernini, al quale ho consegnato la sua lettera, e fatto seco li passaggi comandati, ma egli tutto modestia, attribuisce a sua fortuna l'havere incontrato le loro sodisfationi, e non al proprio merito; che poi ella non habbia hauto gli avisi che desiderava sopra questo particolare, me ne dispiace, ma non havendovi io operato cosa alcuna, a me non spettava tal cura, che bene sa Lei che dove si tratta di spendere io non ci metto parola, ma lascio fare a chi ne sa più di me, come altra volta ho scritto. Il s.r Agostino però mi dice che egli scrisse quanto occorreva in questo proposito [...]

(AR, 261; inedito)

62. Roma, dicembre 6. Francesco Gualengo a Francesco I a Modena

[...] Il giovane del s.re cavalier Bernino non è comparso ancora, e forse venirà dimani col procaccio di Firenze, se però havrà preso quella strada. All'arrivo di lui, e della poliza esseguirò gl'ordini dell'A.V.

(AR, 252; inedito)

63. Roma, dicembre 9. Agostino Luco al cardinal Rinaldo a Reggio Emilia

Dall'humanissima lettera di V.A. de 27 scaduto intendo che sia giunta la statua del Ser.mo sig.r Duca e che sia riuscita di sodisfatione dell'Altezze Loro, il che mi potevo ben persuadere per essere opera del cavalier Bernino, così insigne soggietto de questi tempi che veramente a mostrato in farla affetto e diligenza incomparabile.

Invio a V.A. annesso il conto delle spese fatte per la condotta di detta statua [...]

(AR, 261; ed. parz. Venturi 1883, pp. 213-14; ed. Fraschetti 1900, n. 1, p. 224)

64. Roma, dicembre 9. Giovanni Battista Ruggeri al cardinal Rinaldo a Reggio Emilia

[...] Per il ritratto del Ser.mo Duca dirò qualche cosa al s.r Gualenghi come lo vederò, se bene non lo vedo mai, essendo andato ad abitare alla Trinità de'Monti [...]

(AR, 261; inedito)

65. Roma, dicembre 9. Francesco Gualengo a Francesco I a Modena

Dal giovane del s.r cavalier Bernini, ch'è poi arrivato questa sera, ricevo la poliza de 3000 scudi, de quali disporrò regolandomi in tutto con gl'ordini di V.A. [...]

(AR, 252; inedito)

66. Roma, dicembre 11. Geminiano Poggi al cardinal Rinaldo a Reggio Emilia

[...] Ho poi fatta una cara amicitia col s.r cavalier Bernini. Ho havuto dal medesimo il ritratto di S.A. in profilo per cavarne la copia, si come fo, da portare meco costà [...]

(AR, 262; inedito)

67. Roma, dicembre 13. Francesco Gualengo a Francesco I a Modena

Per conto del s.r cavalier Bernino ho fatto accettar la poliza de 3 mila scudi, e doppo ho obedito puntualmente agl'ordini di V.A. con esso lui; il detto cavaliere ha mostrato di rimaner soprafatto dala grandezza del regalo; et ha risposto che conosce molto bene di haver a fare con un principe che ha l'animo regio, che però l'A.V. ha voluto esser uniforme a se stessa, anch'in questa generosa dimostrazione, alla quale non poteva corrispondere con altro, che col renderlene grazie humilissime. Al motivo dell'impiego della moneta in qualche regalo mi ha risposto che per conto di gioie et argenti se ne trovava già proveduto abastanza, si che appresi l'applicazione ch'egli haveva più tosto alla moneta, e però restai di avisarlo quando ella fosse inpronto, acciò potesse valersene a suo piacere, e così farò.

Devo soggiungere a questo proposito ch'il s.r Luco ha ben accettata puntualmente la poliza, ma però si è dichiarato di farlo in riguardo della fedeltà che ha alla Camera di V.A., perché per altro sarebbe andato con qualche circospettione, trattandosi di una somma considerabile.

(AR, 252; inedito)

68. Roma, dicembre 13. Francesco Gualengo a Francesco I a Modena

[...] Il regalo che fa V.A. al cavalier Bernini per lo ritratto in marmo è non solo in se stesso magnifico, ma anche tanto più riguardevole, perché a punto è uguale a quello che li fè il Papa l'anno passato per la fontana di Navona; e già più d'uno, e lo stesso cavaliere riflette, che la generosità di V.A. servirà per rimprovero della parsimonia altrui [...]

(AR, 252; inedito)

69. Roma, dicembre 13. Francesco Gualengo al cardinal Rinaldo a Reggio Emilia

[...] Il s.r Duca Ser.mo mi ha mandato una rimessa di 3 mila scudi diretta al s.r Luco, con ordine ch'io la faccia accettare, e poi veda d'insinuar al s. cavalier Bernini che per commissione di S.A. devo impiegare questa moneta in qualche cosa per regalarlo conforme il suo gusto, lasciando anche ch'egli si pigli il denaro stesso, secondo che più li piacerà. Ho fatto accettar la poliza, e doppo ho obedito agl'ordini di S.A. Il s.r cavaliere ha mostrato di rimaner soprafatto dalla grandezza del regalo, et ha risposto di conoscer molto bene di haver a fare con principi, che hanno l'animo regio, e però il s.r Duca ha voluto esser uniforme a stesso anche in questa generosa dimostrazione alla quale non poteva corrisponder con altro, che col renderne grazie humilissime.

Al motivo dell'impiego della moneta in qualche regalo ha risposto che per conto di gioie et argenti se ne trovava già proveduto abastanza, si ch'appresi l'applicazione ch'egli haveva più tosto alla moneta; e però restai di avisarlo quando ella fosse inpronto per fargliela capitar a suo piacere. Non ho mancato di motivarle ancora il desiderio ch'haverebbe l'A.V. di vederlo far una scorsa in coteste parti, et a ciò ha mostrato di haver una singolar inclinazione, professandola apunto tale in riguardo del puoco genio che per lo passato ha havuto sempre a simile risoluzione. Al s.r conte Ruggieri ho notificato la giustissima premura di V.A. circa la ricuperazione del ritratto in faccia del s.r Duca; et egli si è preso l'assonto di procurarla quanto prima. Io so però che il s.r cavaliere vi si è mostrato sempre prontissimo.

SaV.A. ch'il s.r cavalier Bernini fu regalato qui di 3000 scudi per la fontana di Navona; ora che il regalo del s.r Duca per lo suo ritratto corrisponde apuntino al sudetto dubita il detto s.r cavalier, e già se ne discorre da altri, che la gran magnificenza del secondo non rimproveri la scarsezza del primo [...]

(AR, 252; inedito)

70. Roma, dicembre 13. Gian Lorenzo Bernini a Francesco I a Modena

Mi è pervenuta la benignissima lettera dell'AltezzaV.ra, et io in leggerla et in confrontarle il dettomi d'ordine suo dal sig.r Gualengo, subito concepij quanta difficoltà fossi per incontrare nella risposta. E veramente adesso non so donde dar principio a' miei devotissimi ringratiamenti. Se con V.Altezza debbo scuoprire l'intimo dell'affetto, si come le ho dedicato tutto il servigio della persona; sommamente mi glorio della sua compiacenza nel ritratto, poiché così conseguisco il fine dell'operar mio. E da questa simiglianza, con cui è riuscito al marmo di nobilitarsi, è proceduta la stima, che V.Altezza me fa, e la dimostrazione generosissima che ne apparisce. Onde la fatica, lo studio, l'opera, et il sasso vengono qualificati per preziosi, mentre si ricuoprono sotto una estrema e simile superficie dell'AltezzaV.ra. Ora dunque intendo perché Alessandro il Grande non permettesse a tutti lo scolpire, o'l fondere la sua effigie. Anzi da ciò imparo essersi già saviamente detto che chi nasce al comando de popoli, come l'AltezzaV.ra, nasce con una miniera d'oro nell'animo; et io sperimento che questa mi scaturisce anche dall'Immagine sua, per avverare che alla Serenissima Casa d'Este fu et è proprio il nutrir e'l sollevare con fortuna d'oro gli sforzi delle virtù. Qui dichiarandomi aV.Altezza il più obligato servitore, umilissimamente me le inchino [...]

(A. mat, 9/1; ed. Fraschetti 1900, n. 4, p. 223)

71. Roma, dicembre 13. Giovanni Battista Ruggeri al cardinal Rinaldo a Reggio Emilia

[...] Sarò dal cavalier Bernini, stando che hieri il s.r Gualengo mi disse che adesso verrà tempo opportuno per riavere il ritratto del s.r Duca Ser.mo [...]

(AR, 261; inedito)

72. Roma, dicembre 17. Giovanni Battista Ruggeri al cardinal Rinaldo a Reggio Emilia

[...] Fui dal cavalier Bernini per ricuperare il ritratto e non lo trovai in casa, ma hier sera fu da me il s.r Gualenghi, e mi disse che haveva parlato col medesimo cavaliere di questo fatto, quale desiderava di cavarne una copia, e poi prontamente farebbe la restitutione, e io poi a suo tempo farò quella parte che devo per rihaverlo [...]

Si scrisse hieri sin qui per guadagnare tempo, e hier sera il cavalier Bernini mi mandò il ritratto, nonostante quanto di sopra si è scritto, le ne feci nova offerta al suo messo per cavarne copia, egli mi rispose che stando il ritratto in Roma poteva sempre con più sua comodità farlo copiare, si è posto in guardarobba [...]

(AR, 261; inedito)

1652

73. Roma, gennaio 3. Giovanni Battista Ruggeri al cardinal Rinaldo a Reggio Emilia

[...] Fu già restituito il quadro dal s.r cavaliere Bernini, come avisai [...]

(AR, 261; inedito)

74. Roma, gennaio 6. Giovanni Battista Ruggeri al cardinal Rinaldo a Reggio Emilia

[...] Dirò al s.r Agostino quanto ella comanda in proposito di far copiare il ritratto del s.r Duca Ser.mo supponendomi che egli sia per havere qualche pittore atto a simil faccenda, non havendo io conoscenza di nessuno in simil professione.

(AR, 261; inedito)

75. Roma, gennaio 13. Giovanni Battista Ruggeri al cardinal Rinaldo a Reggio Emilia

[...] Haverà qui congiunto una lettera del cavalier Bernino

(AR, 261; inedito)

76. Roma, gennaio 13. Gian Lorenzo Bernini al cardinal Rinaldo a Reggio Emilia

Il signor Qualenghi diemmi l'altro giorno la lettera di cambio di tre mila scudi, che il Ser.mo sig.r Duca fratello di V.Altezza mi fa pagare, non dico già per lo suo ritratto da me in marmo scolpito, ma per lo genio della gran Casa Estense, la quale suol eccedere in più che reale generosità. E mi pare ora che particolarmente a V.Altezza ne debba io accusare la ricevuta, poiché la sua benignità mi ha donata questa occasione dalla mia servitù tanto ambita, mi ha poi soggeriti gl'incentivi di avanzarmi nell'opera, e ultimamente ha reso prezioso il servigio del mio scalpello con la parzialità delle sue lodi. Supplico dunque l'Altezza V.ra che aggradisca questa devotissima dichiarazione dell'obligo mio a fine di onorarmi per l'avvenire co' suoi comandamenti, come per lo passato mi ha con le sue gratie favorito e protetto [...]

(A. mat, 9/1; ed. Fraschetti 1900, n. 3, pp. 224-225; cit. Wittkower 1955, p. 215)

77. Roma, gennaio 17. Francesco Gualengo a Francesco I a Modena

[...] Scrissi a V.A. che il s.r Agostino Luco haveva accettato l'ordine del s.r Vigarani delli 3 mila scudi da sborsarsi per regalo al s.r cavalier Bernino, ma che però si era protestato insieme di non voler seguitar in ciò la sola fede del detto s.r Vigarani, ma quello della camera ducale. Essendo poi maturato l'ordine sudetto ch'era ad uso doppio, cioè di 30 giorni, et havendo io fatto le solite girate in persona dello stesso s.r cavaliere, il s.r Luco si mostra interamente pronto allo sborso, asserendo che fin hora non li sono stati proveduti li ricapiti. E se bene io mi persuado che questi siano per gionger in breve, nondimeno intanto ch'il s.r cavaliere aspetta con ogni modestia, e ch'egli et io apprendiamo che la tardanza derivi da tempi piovosi. Mi è parso bene che V.A. sia informata di quanto passa. [...]

(AR, 253; inedito)

78. Roma, gennaio 30. Spesa per una copia del ritratto del duca da dare al Bernini

Pagati a Gioseppe Militia pittore per una copia fatta del s.r Duca di Modena per dare al Bernini s 6

(Am. Pr., 1457/B; inedito)

79. Roma, febbraio 7. Francesco Gualengo a Francesco I a Modena

[...] Il s.r cavalier Bernini si è poi aggiustato col s.r Agostino Luco per conto della rimessa dei 3 mila scudi [...]

(AR, 253; inedito)

80. Bracciano, luglio 26. Paolo Giordano Orsini a Cristina di Svezia

[...] Il cavalier Bernino dopo fatta la fontana nella piazza Navona ha scolpito la testa del Duca di Modona in marmo inzino a mezzo busto, et ancorché non l'habbia mai visto, essendogli stato mandato il ritratto dipinto, l'ha fatto in forma che dicono che là è piaciuto grandemente.

(ed. Borsari 1891; cit. Wittkower 1955, p. 215)

81. Roma, novembre 30. Geminiano Poggi a Francesco I a Modena

[...] Questa mattina sono ito a visitare il s.r cavalier Bernini, e benché V.A.S. non me l'havesse ordinato, ho creduto di poter dirgli, si come gli ho detto, di tenere particolare commissione di salutarlo caramente a nome di V.Alt.za come ho fatto, con espressione vivissima della stima singolare e con altre parole di cortesia, che da detto s.r cavalier sono state infinitamente gradite. Habbiamo discorso della fabrica del palazzo di Modana, e di quella di Sassuolo et io l'ho assicurato che le sue considerationi hanno riportato il credito che meritavano, e sopra la statua pure di V.A. ho detto più di qualche cosa, ma egli ha detto più di me intorno alla generosità, e grandezza d'animo di V.A.Ser.ma e del s.r principe cardinale, e nell'udire le sue parole si scorge che non le dice da romanesco [...]

(AR, 262; inedito)

1655

82. Modena, novembre 27. Geminiano Poggi a Francesco I a Modena

[...] È venuto voglia a' Ser.mi di Toscana di havere uno schizzo del ritratto di marmo di V.A. scolpito dal cavalier Bernini, havendomelo scritto Vincenzo Manozzi d'ordine del s.r principe Leopoldo, et io subito gliel'ho mandato, havendone prima data parte al s.r principe [...]

(Cart. Ref., 47/A; ed. Fraschetti 1900, n. 2, p. 224; ed. Fraschetti 1902, n. 1, p. 109; cit. Wittkower 1955, p. 215; Southorn 1988, p. 64)

1663

83. Modena, gennaio 2. Inventario e descrizione de Mobili e suppeletili che al presente si ritrovano negli Appartamenti della Serenissima casa, Appartamento verde, seconda camera

La statua di marmo bianco della gloriosa memoria del Serenissimo signor duca Francesco

(ASMo, Notai camerali, 35, n.60; ed. Bentini e Curti 1993, p. 6)

1706

84. Inventario dei beni presenti nel palazzo abitato dagli eredi di Bernini

Ritratto del sig,.Duca di Modena

(1681 inventario, fol. 50, 3 recto; ed. Fraschetti 1900, pp. 431- 32; ed. Fraschetti, 1902, p. 110; ed. Borsi 1981, p. 108)

Fonti

1659

85.

Si sa, che sendo stato da un famoso Scoltore, novello Lisippo del secol nostro, atto a servire i Massimi Alessandri, ed incontrare con eroici disegni le linee auguste della loro generosità, intagliato in una mezza statua dell'A. S. il naturale ritratto, ed interrogando ella un Cavaliere, che alla sua presenza mirava ed ammirava la delicata dolcezza de' fatti profili, di qual somma di dinaro gli paresse mò meritevole l'Artefice: e rispondendo quello, che veramente la perfettione del taglio meritava dugento dobble: con ameno rimprovero ripigliò l'A. S. Oh! pare a voi, che io con questo riconoscessi a bastanza la virtù dell'Autore? e glie ne fe vedere sborsata la somma di mille.

(Gamberti, *Idea,* 1659, p. 452; citato parzialmente da Southorn 1988, p. 34)

1661

86.

Se poi vi fosse alcuno, che bramasse di vedere impiegati li scarpelli di sì gra.d huomo, da altri Prencipi; molti se ne potrebbono adurgli; ma io mi contento, che fra le altre Opre segnalate di sì rinomato Scoltore, per sodisfare a simigliante richiesta, una solamente vaglia per tutte, fatta al Serenissimo Duca di Modona Francesco d'Este. È questo il ritratto in marmo dal busto in su, di quell'Altezza; ma quel che fa stupire, sì è che non essendo stato ricauato dal naturale, ma da vn altro ritratto dipento; nondimeno è effigiato così al viuo; che veduto da quel Prencipe, parue (stetti quasi per dire, se non mel vietasse la sagacità singolare dello stesso) che a guisa di nouello Narciso in rimirando attentamente le sue fattezze nel candore di quel marmo, ci compiacesse sommamente di se medesimo, o vero inuaghito della sua Statua; con esso lei ragionasse, come vn nouello Pigmalione. Io non dirò altro. La ricompensa data all'Autore, faccia fede dell'eccellenza dell'Opera. Il prouerbio è trito, che *raritas facit pretium*. Chi vuol vedere se è vero, attenda. Mille doppie furono date al Bernini dalla liberalissima generosità, degna dell'animo vasto di quel Prencipe, e della Magnificenza reale degli Estensi, che a proportione del merito non solamente costumarono mai sempre di premiare largamente; ma di obbligare la virtù degli huomini illustri in tutte le professioni, a viuere ereditaria de'suoi grandi Aui, e ad annidarsi sotto le ali candidissime, e spatiose delle sue Aquile innocenti. Di queste, paruero proprij allieui i Cigni più canori del Castalio, mentre da esse, a gara con le ali della Fama, furono in ogni tempo portati a volo, e protetti splendidamente da quella Serenissima Casa, che fu mai sempre il Parnaso delle Muse. Hor ecco chiusa la bocca a quei lodatori Aristarchi del tempo antico, hauendo loro fatto vedere, che la Natura di tutti i tempi produce qualche huomo Insigne, a guisa di quella pianta pregiata del Poeta Latino, che per quanto venga potata dal ferro della morte; germoglia sempre nondimeno nuoui rampolli,

> *uno auulso, non deficit alter*
> *Aureus, & simili frondescit virga metallo.* (Eneide Lib. 6)

(Borboni, 1661, 84; citato parzialmente da Fraschetti 1900, p. 225)

1682

87.

In questi tempi il serenissimo duca di Modana Francesco da Este volle di mano del Bernini il proprio ritratto, il quale condotto a perfezione egli mandò al duca ed ebbene in tanti argenti onorario di valore di 3000 scudi, mentre a Cosimo Scarlatti familare del cavaliere che l'andò a consegnare, furon donati dugento ungheri.

(Baldinucci 1948, 106)

1713

88.

Francesco d'Este Duca di Modona volle il proprio Ritratto di mano di lui, e Cosimo Scarlatti familare del Cavaliere, per cui mandòllo, n'hebbe in dono due cento Ungheri, e mille doppie per l'Artefice.

(Bernini 1713, 64)

Illustrazioni contemporanee

1655

89. Modena, novembre 27. Geminiano Poggi a Francesco I a Modena

[...] È venuto voglia a' Ser.mi di Toscana di havere uno schizzo del ritratto di marmo di V.A. scolpito dal cavalier Bernini, havendomelo scritto Vincenzo Manozzi d'ordine del s.r principe Leopoldo, et io subito gliel ho mandato, havendone prima data parte al s.r principe [...]

(Cart. Ref., 47/A; ed. Fraschetti 1900, n. 2, p. 224; ed. Fraschetti 1902, n. 1, p. 109; cit. Wittkower 1955, p. 215; Southorn 1988, p. 64)

1659

90. Bartolomeo Fenis, disegno preparatorio per l'incisione in Gamberti, *Idea,* 1659, dopo p. 466 (fig. 34). Museo Civico di Storia e Arte Medievale (riprodotto da Southorn 1988, tav. 58)

91. Gamberti, *Idea,* 1659, frontespizio (fig. 19)

92. Gamberti, *Idea,* 1659, incisione con il *Principe e i suoi virtuosi,* dopo p. 466 (fig. 33). Iscrizione: Musarum clientes/ Franciscus, optimus macaenas,/ umbra serenissimi patrocinii/ splendide exceptos,/ tuetur, ac fortunat. La tavola illustra la sezione alle pagine 467-468, che inizia: SPOSITIONE PRIMA. NELLE SCIENZE. PARAGONE SECONDO. IL DUCA FRANCESCO Singolarmente coll'ombra sua Serenissima protegge i virtuosi, animando in questa maniera alla fatiga dello studio i suoi sudditi, ed inuitando nella sua Corte i Letterati stranieri. (p. 467)

93. Anonimo, *Natura morta allegorica con il busto di Francesco I d'Este di Bernini*, dipinto (fig. 35) The Minneapolis Institue of Arts, Minneapolis, Minnesota (pubblicato per la prima volta da Fraschetti 1902, pp. 109-111).

II. La statua equestre

1659

94. Roma, giugno 18. Cardinal Rinaldo ad Alfonso IV a Modena

Parendomi che V.A. mi mottivasse esser suo desiderio, che il cavalier Bernino le facesse il modello d'una statua per il s.r Duca suo padre di felice memoria; io su tal intenzione glienc ho parlato, e nonostante d'haverlo trovato involto tra mille faccende, con tuttociò spero che mi potrà riuscire farlo rubbar tanto tempo all'altre occupazioni, ch'egli habbia luogo a servirla. Sarebbe però necessario non solo d'havere un impronto di stucco della statua ch'è costì, ma anche di saper la forma, l'attitudine, se a piedi o a cavallo, e particolarmente si ricerca il sito dove s'ha a porre, per dar la debita proporzione all'opera con la misura di quello. [...]

(A. mat., 9/1; ed. Fraschetti 1900, n. 1, p. 226)

95. Modena, giugno 25. Alfonso IV al Cardinal Rinaldo a Roma

V.Em.a m'ha fatto favore particolare ad impegnare in parola il cavaliere Bernino di fare il modello d'una statua per il sig.r Duca mio padre, perché desidero ardentemente d'alzare questa memoria a S.A., e però ho pensato che nella piazza di questo Castello possa la suddetta statua a cavallo sopra d'un nobile piedestallo star molto bene. Mandarò pertanto a V. E. il disegno della piazza predetta e della positura della statua ancora acciò in tale conformità possa il cavaliere mettersi a lavorare con ogni proporzione e mandarò anche l'impronto di stucco della statua che già fece e che qui si trova. [...]

(A. mat., 9/1; ed. Fraschetti 1900, n. 2, p. 226)

Bibliografia

L'Académie
1963 *L'Académie des inscriptions et belles-lettres. 1663-1963*, catalogo della mostra, Paris.

Avery, C.
1997 *Bernini. Genius of the Baroque*, Boston.

Baldinucci, F.
1682 *Vita del cavaliere Gio. Lorenzo Bernino*, Firenze; a cura di S. S. Ludovici, Milano, 1948.

Bentini, J. e Curti P., a cura di
1993 *Arredi, suppellettili e «pitture famose» degli Estensi. Inventari 1663*, Modena.

Berger, Robert W.
1985 *In the Garden of the Sun King. Studies on the Park of Versailles under Louis XIV*, Washington.

Bernini in Vaticano
1981 *Bernini in Vaticano*, catalogo della mostra, Roma.

Bernini scultore
1998 *Bernini scultore. La nascita del barocco in casa Borghese*, catalogo della mostra, Roma.

Bernino, D.
1713 *Vita del cavalier Gio. Lorenzo Bernino, descritta da Domenico Bernino suo figlio*, Roma.

Bernstock, J.,
1980 *Bernini's Memorial to Maria Raggi*, in «The Art Bulletin», LXII, pp. 243-255.

Idem
1981 *Bernini's Memorials to Ippolito Merenda and Alessandro Valtrini*, in «The Art Bulletin», LXIII, pp. 210-232.

Biblia sacra
1617 *Biblia sacra cum glossa ordinaria*, Anversa.

Bireley, R.
1990 *The Counter-Reformation Prince*, Raleigh.

Blunt, A.
1978 *Gianlorenzo Bernini: Illusionism and Mysticism*, in «Art History», I, 1978, pp. 67-89.

Borboni, G. A.
1661 *Delle Statue*, Roma.

Borsari, L.
   1891 *Di una Cristina Alessandra Regina di Svezia*, in «Fanfulla della Domenica», anno XIII,
        n° 40, 4-5 ottobre, 2.

Borsi, F., *Bernini architetto*, Milan, 1980.

Idem., et al.
   1981 *Gianlorenzo Bernini. Il testamento la casa la raccolta dei beni*, Firenze.

Bozza, T.
   1949 *Scrittori politici italiani dal 1550 al 1650*, Roma.

Brown, C.
   1982 *Van Dyck*, Oxford.

Brown, D. A., *et al.*
   1997 *Lorenzo Lotto. Rediscovered Master of the Renaissance*, catalogo della mostra, New Haven
        and London.

Burke, P.
   1992 *The Fabrication of Louis XIV*, New Haven and London.

Campori, G.
   1855 *Gli artisti italiani e stranieri negli stati estensi*, Modena.

Carinci, F., *et al.*
   1990 *Catalogo della Galleria Colonna. Sculture*, Roma.

Chantelou, P. Fréart de
   1885 *Journal du voyage du Cavalier Bernin en France*, a cura di L. Lalanne, Paris.

Idem
   1985 *Diary of the Cavaliere Bernini's Visit to France*, a cura e con un'introduzione di
        A. Blunt, note di G. C. Bauer, traduzione di M. Corbett, Princeton.

Colomer, J. L.
   1992 *Traité politique, exercise spirituel: l'art de la méditation chez Virgilio Malvezzi*, in «Rivista
        di letterature moderne e comparate», XLV, 1992, pp. 245-261.

Idem
   1995 *'Esplicar los grandes hechos de vuestra magestad': Virgilio Malvezzi historien di Philippe IV*,
        in Continisio e Mozzarelli, a cura di, pp. 45-75.

Coffin, D.
   1955 *Pirro Ligorio and Decorations of the Late Sixteenth Century at Ferrara*, in «The Art Bulle-
        tin», XXXVII, pp. 167-185.

Conforti, C.
   1985 *Il 'funeral teatro' a Modena nel Seicento*, in M. Fagiolo e M. L. Madonna, a cura di, *Ba-
        rocco romano e barocco italiano. Il teatro, l'effimero, l'allegoria*, Roma, pp. 217-227.

Connors, J.
   1982 *Bernini's S. Andrea al Quirinale: Payments and Planning*, in «Journal of the Society of
        Architectural Historians», XLI, pp. 15-37.

Continisio, C. e Mozzarelli, C., a cura di
   1995 *Repubblica e virtù: pensiero politico e monarchia cattolica fra XVI e XVII secolo*, Roma.

Crespellani, A.
   1893 *Medaglie estensi ed austro-estensi*, Modena.

Cust, L.
1908-09 *Notes on Pictures in the Royal Collections. The Triple Portrait of Charles I by Van Dyck and the Bust of Bernini*, in «The Burlington Magazine», XIV, pp. 337-340.

De Mattei, R.
1982-84 *Il pensiero politico italiano nell'età della controriforma*, 2 voll., Milano-Napoli.

Dempf, A.
1937 *Christliche Staatsphilosophie in Spanien*, Salzburg.

Dent Weil, P., a cura di
1978 *Orfeo Boselli. Osservazioni della scoltura antica dai manoscritti Corsini e Doria e altri scritti*, Firenze.

Dictionnaire de biographie
1933 sgg. *Dictionnaire de biographie française*, Paris.

Enciclopedia cattolica
1948-54 *Enciclopedia cattolica*, 13 voll., Città del Vaticano.

Esdaile, K. A.
1939 *Two Busts of Charles I and William III*, in «The Burlington Magazine», LXXII, pp. 164-71.

Idem
1948 *The Busts and Statues of Charles I*, in «The Burlington Magazine», XCI, pp. 9-15.

Fagiolo dell'Arco, M.
1997 *La festa barocca*, Roma.

Farago, C. J.
1992 *Leonardo da Vinci's Paragone. A Critical Interpretation with a New Edition of the Text in the Codex Urbinas*, Leiden.

Fraschetti, S.
1900 *Il Bernini. La sua vita, la sua opera, il suo tempo*, Milano.

Idem
1902 *Un altro documento berniniano*, in «L'arte», pp. 109-111.

Frommel, C.
1983 «S. Andrea al Quirinale: genesi e struttura», in G. Spagnesi e M. Fagiolo, a cura di, *Gian Lorenzo Bernini architetto e l'architettura europea del Sei-Settecento*, Roma, pp. 211-253.

Gaborit, J.-R.
1977 *Le Bernin, Mocchi et le Buste de Richelieu du Musée du Louvre. Un Probleme d'attribution*, in «Bulletin de la Société de l'Histoire de l'Art Francais», 1977, pp. 85-91.

Galluzzi, T.
1645 *In aristotelis libros quinque...nova interpretatio...*, Paris.

Gamberti, D.
1659 *Corona funerale dedicta alla gloriosa, ed immortale memoria del serenissimo prencipe Francesco I. d'Este Duca di Modona, e Reggio VIII. Generalissimo dell'arme reali di Francia in Italia, etc. nelle solenni esequie celebrategli dalla pia magnificenza dell'altezza serenissima di Alfonso IV. Duca IX. suo primogenito*, Modena.

Idem
1659 *L'idea di un prencipe et eroe christiano in Francesco I. d'Este di Modona, e Reggio Duca VIII. Generalissimo dell'arme reali di Francia in Italia, ecc. effigiati co' profili delle virtu da prencipi suoi maggiori ereditate. Rappresentata alla publica luce co'l funerale apparato sposto nelle solenne esequie dall'altezza serenissima di Alfonso IV suo primogenito alla gloriosa, ed'immoratale sua memoria l'anno M. DC. LIX. alli 11. di Aprile in Modona celebrate,* Modena.

Gould, C.
1982 *Bernini in France. An Episode in Seventeenth-Century History,* Princeton.

Harris, A. S.
1993 *Vouet, le Bernin, et la 'ressemblance parlante',* in «Recontres de l'École du Louvre», pp. 192-206.

Haskell, F.
1971 *Patrons and Painters. Art and Society in Baroque Italy,* New York (ed. it. *Mecenati e pittori. Studio sul rapporto tra arte e società nell'età barocca,* Firenze 1966).

Idem
1972 «The Role of Patrons: Baroque Style Changes», in Wittkower, R. e Jaffe, I., pp. 51-62.

Hofmann, R.
1933 *Die heroische Tugend. Geschichte und Inhalt eines theologischen Begriffes,* München.

Humphrey, P.
1997 *Lorenzo Lotto,* New Haven and London.

I materiali
1979 *I materiali dell'istituto delle scienze,* Bologna.

Iotti, R., a cura di
1997 *Gli Estensi. Prima Parte,* Modena.

Johnston, C., et al.
1986 *Vatican Splendour: Masterpieces of Baroque Art,* catalogo della mostra, Ottawa.

Judson, J. R., e C. van de Velde
1978 *Book Illustrations and Title Pages* (Corpus Rubenianum Ludwig Burchard), 2 voll., London and Philadelphia.

Keisch, C.
1976 *Portraits in mehrfacher Ansicht. Überlieferung und Sinnwandel einer Bildidee,* in «Staaliche Museen zu Berlin. Forschungen und Berichte», XVII, pp. 205-239.

Krautheimer, R.
1985 *The Rome of Alexander VII,* Princeton.

Kuhn, R.
1969 *Gian Paolo Oliva und Lorenzo Bernini,* in «Römische Quartalschrift», 64, pp. 229-233.

Idem
1970 *Gian Lorenzo Bernini und Ignatius von Loyola,* in «Argo, Festschrift für Kurt Badt», Köln, pp. 297-323.

Lalande, J. J. L. F. de
1769-90 *Voyage d'un françois en Italie, fait dans les années 1765 & 1766,* 8 voll., Yverdon.

Larsen, E.
1988 *The paintings of Anthony Van Dyck,* 2 voll., Düsseldorf.

Laurain-Portemer, M.
1981 *Études mazarines*, Paris.

Idem
1985 «Fortuna e sfortuna di Bernini nella Francia di Mazzarino», in *Bernini e l'unità delle arti visive*, Roma, pp. 113-129.

Lavin, I.
1968 *Five Youthful Sculptures by Gianlorenzo Bernini and a Revised Chronology of his Early Works*, in «The Art Bulletin», L, 1968, 223-248.

Idem
1970 *On the Sources and Meaning of the Renaissance Portrait Bust*,in «Art Quarterly», XXXIII, pp. 207-226.

Idem
1972 *Bernini's Death*,in «The Art Bulletin», LIV, pp. 158-186.

Idem
1973 *Aftertoughts on 'Bernini's death'*, in «The Art Bulletin», LV, pp. 429-436.

Idem
1975 *On Illusion and Allusion in Italian Sixteenth-Century Portrait Busts*, in «Proceedings of the American Philosophical Society», CXIX, pp. 353-362.

Idem
1978 *On the Pedestal of Bernini's Bust of the Savior*, in «The Art Bulletin», LX, p. 547.

Idem
1980 *Bernini and the Unity of the Visual Arts*, New York and London.

Idem
1989 «Bernini and Antiquity: The Baroque Paradox. A Poetical View», in H. Beck e S. Schulze, a cura di, *Antikenrezeption im Hochbarock*, Berlin, pp. 9-36.

Idem
1990 *High and Low Before their Time: Bernini and the Art of Social Satire*, in K. Varnadoe e A. Gopnik, a cura di, *Modern Art and Popular Culture. Readings in High and Low*, New York, pp. 19-50.

Idem
1994 *Passato e presente nella storia dell'arte*, Torino.

L'Ecole
1972 *L'Ecole de Fontainebleau*, catalogo della mostra, Paris.

Lee, Rensselaer W.
1977 *Names on Trees: Ariosto into Art*, Princeton.

Lightbown, R.W.
1981 «Bernini's Busts of English Patrons», in M. Barasch e L. F. Sandler, a cura di, *Art the Ape of Nature, Studies in Honor of H. W. Janson*, New York, pp. 439-476.

Lodi, L.
1986 «Immagini della genealogia estense», in J. Bentini e L. Spezzaferro, *L'impresa di Alfonso II. Saggi e documenti sulla produzione artistica a Ferrara nel secondo cinquecento*, Bologna, pp. 151-162.

L'Orange, H. P.
1982 *Apotheosis in Ancient Portraiture*, New Rochelle.

Lutz, H.
1961 *Ragione di stato und christliche Staatsethik im 16. Jahrhundert*, Münster.

Mancini, G.
1956-57 *Considerazioni sulla pittura*, a cura di A. Marucchi e L. Salerno, 2 voll., Roma.

Matteucci, A. M.
1987 «Il palazzo ducale nel dibattito sulle residenze di corte,» in A. Biondi, a cura di, *Il palazzo ducale di Modena. Sette secoli di uno spazio cittadino*, Modena, pp. 83-121.

Meinecke, F.
1957 *Machiavellianism. The Doctrine of Raison d'Etat and its place in Modern History*, New York.

Mendelsohn, L.
1982 *Paragoni. Benedetto Varchi's «Due Lezzioni» and Cinquecento Art Theory*, Ann Arbor.

Menestrier, C.-F.
1660 *Les Reioüissances de la paix*, Lyon.

Idem
1662 *L'Art des emblemes*, Lyon.

Idem
1679 *La Devise du roi justifiée*, Paris.

Michaud, J. F.
1811-62 *Biographie universelle*, 55 vols., Paris.

Millar, O.
1963 *The Tudor, Stuart and Early Georgian Pictures in the Collection of her Majesty the Queen*, London.

Idem
1982 *Van Dyck in England*, catalogo della mostra, London.

Mirot, L.
1904 *Le Bernin en France. Les travaux du Louvre et les statues de Louis XIV*, in «Mémoires de la société de l'histoire de Paris et de l'Ile de France», pp 161-288.

Mondaini, G.
1898 *La questione di precedenza tra il duca Cosimo I de' Medici e Alfonso d'Este*, Firenze.

Montagu, J.
1985 *Alessandro Algardi*, 2 voll., New Haven and London.

Muñoz, A.
1920 *Alessandro Algardi ritrattista*, in «Dedalo», I, pp. 289-304.

Oliva, G. P.
1681 *Lettere*, 2 voll., Roma.

Pastor, L. von
1923-53 *The History of the Popes from the Close of the Middle Ages*, 40 voll., London.

Pedretti, C.
1975 *Disegni di Leonardo da Vinci e della sua scuola alla biblioteca reale di Torino*, Firenze.

Pepe, M.
1968 *Il paragone tra pittura e scultura nella letteratura artistica rinascimentale*, in «Cultura e scuola», XXX, pp. 120-131.

Perrault, C.
1909 *Mémoires de ma vie (1702); Voyage a Bordeaux* (1669), a cura di Paul Bonnefon, Paris.

Picinelli, F.
1670 *Mondo simbolico*, Venezia.

Pigna, G. B.
1561 *Gli heroici*, Venezia.

Idem
1561 *Il principe*, Venezia.

Idem
1570 *Historia de principi di Este*, Ferrara.

Raatschen, G.
1996 *Plaster casts of Bernini's bust of Charles I*, in «The Burlington Magazine», CXXXVIII, pp. 813-816.

Rombaldi, O.
1992 *Il duca Francesco I d'Este (1629-1658)*, Modena.

Saavedra Fajardo, Diego de
1649 *Idea principis christiano-politici*, Brussels.

Santi, V.
1897 *La precedenza tra gli Estensi e i Medici e l'istoria de' Principi d' Este di G. Battista Pigna*, in «Atti della deputazione ferrarese di storia patria», IX, pp. 37-122.

Skalweit, S.
1957 *Das Herrscherbild des 17. Jahrhunderts*, in «Historische Zeitschrift», CLXXXIV, pp. 65-80.

Southorn, J.
1988 *Power and Display in the Seventeenth Century. The Arts and their Patrons in Modena and Ferrara*, Cambridge.

Stone, N.
1919 *The Note-Book and Account Book of Nicholas Stone* (ca 1640), trascritto e annotato da W. L. Spiers, in «Walpole Society», VII.

Summers, D.
1981 *Michelangelo and the Language of Art*, Princeton.

Tratz, H.
1988 *Werkstatt und Arbeitsweise Berninis*, in «Römisches Jahrbuch für Kunstgeschichte», XXIII/XXIV, pp. 397-485.

Venturi, A.
1883 *La R. Galleria Estense in Modena*, Modena.

Idem
1890 *Lorenzo Bernini in Francia*, in «Archivio storico dell'arte», III, p. 143.

Vertue, G.
1929-30 *Note Books (ca. 1713): Vol. I*, in «Walpole Society», XVIII.

Vickers, M.
1978 *Rupert of the Rhine*, in «Apollo», CVII, pp. 161-169.

Viroli, M.
1994 *Dalla politica alla ragion di stato. La scienza del governo tra XIII e XVII secolo*, Roma.

Warwick, G.
1997 *Gift Exchange and Art Collecting: Padre Sebastiano Resta's Drawing Albums*, in «The Art Bulletin», LXXIX, pp. 630-646.

Weibel, W.
1909 *Jesuitismus und Barockskulptur in Rom*, Strasbourg.

Wheelock, A. K., *et al.*, a cura di
1990 *Anthony van Dyck*, catalogo della mostra, Washington, 1990.

Wittkower, R.
1951 *Bernini's Bust of Louis XIV*, London.

Idem
1955 *Gian Lorenzo Bernini, the sculptor of the Roman Baroque*, cfr. Wittkower 1981.

Idem e Wittkower, M.
1963 *Born Under Saturn. The Character and Conduct of Artists: A Documented History from Antiquity to the French Revolution*, New York (ed. it., *Nati sotto Saturno. La figura dell'artista dall'antichità alla rivoluzione francese*, Torino 1968).

Idem
1972 «Problems of the Theme», in Wittkower e Jaffe, pp. 1-14.

Idem e Jaffe, I., a cura di
1972 *Baroque Art: the Jesuit Contribution*, New York.

Idem
1975 «The Vicissitudes of a Dynastic Monument. Bernini's Equestrian Statue of Louis XIV», in M. Meiss, a cura di, *De Artibus Opuscula XL. Essays in Honor of Erwin Panofsky*, New York, 1961, pp. 497-531 (ristampato in *Studies in the Italian Baroque*, London, pp. 83-102).

Idem
1981 *Gian Lorenzo Bernini. The Sculptor of the Roman Baroque*, Oxford (terza edizione; ed. it., *Bernini, lo scultore del barocco romano*, Milano 1990).

Zampetti, P., e Sgarbi, V., a cura di
1981 *Lorenzo Lotto. Atti del convegno internazionale di studi per il V centenario della nascita, Asolo 18-21 settembre 1980*, Treviso.

Zanugg, L.
1942 *Il palazzo ducale di Modena. Il problema della sua costruzione*, in «Rivista del R. Istituto d'archeologia e storia dell'arte», IX, pp. 212-252.

Elenco delle illustrazioni

Referenze fotografiche

Bassano del Grappa, Museo Civico: fig. 27.
Città del Vaticano, Biblioteca Apostolica Vaticana: figg. 30, 32.
Ginevra, Musée d'art e d'histoire, Service photographique: fig. 22.
Londra, British Museum: figg. 10, 21.
Londra, Courtauld Institute Galleries: fig. 12.
Londra, National Gallery, Picture Library: fig. 9.
Memphis, Memphis Brooks Museum of Art: fig. 5.
Minneapolis, The Minneapolis Institute of Arts: fig. 35.
Modena, Archivio di Stato: fig. 1.
Modena, Galleria Estense, Archivio Fotografico della Soprintendenza per i Beni Artistici e Stori-
ci di Modena e Reggio Emilia: fig. 13.
Modena, Biblioteca Estense (foto Roncaglia): figg. 19, 20, 25, 29, 31.
Modena, Museo Civico d'Arte Medioevale e Moderna, Archivio Fotografico: figg. 33, 34.
New York, The American Numismatic Society: figg. 25, 28.
Parigi, Réunion des Musées Nationaux, Agence photographique: figg. 8, 15, 26.
Roma, Gabinetto Nazionale delle Stampe: fig. 23.
Roma, Istituto Archeologico Germanico: fig. 17.
Roma, Istituto Centrale per il Catalogo e la Documentazione: figg. 16, 18.
Torino, Biblioteca Reale: fig. 2.
Versailles, Musée National du Château (foto Archivi Alinari, Firenze): fig. 14.
Vienna, Kunsthistorisches Museum, Reproduktionsabteilung: fig. 3.
Windsor, The Royal Collection © Her Majesty Queen Elisabeth II: figg. 4, 6, 7, 11.

Indice dei nomi

Saggi

Finito di stampare
dalla F. G. Industria Grafica
Savignano sul Panaro (Modena)
nel mese di settembre 1998